UTB

UTB 2755

Eine Arbeitsgemeinschaft der Verlage

Beltz Verlag Weinheim · Basel
Böhlau Verlag Köln · Weimar · Wien
Wilhelm Fink Verlag München
A. Francke Verlag Tübingen und Basel
Haupt Verlag Bern · Stuttgart · Wien
Lucius & Lucius Verlagsgesellschaft Stuttgart
Mohr Siebeck Tübingen
C. F. Müller Verlag Heidelberg
Ernst Reinhardt Verlag München und Basel
Ferdinand Schöningh Verlag Paderborn · München · Wien · Zürich
Eugen Ulmer Verlag Stuttgart
UVK Verlagsgesellschaft Konstanz
Vandenhoeck & Ruprecht Göttingen
vdf Hochschulverlag AG an der ETH Zürich
Verlag Barbara Budrich Opladen · Farmington Hills
Verlag Recht und Wirtschaft Frankfurt am Main
WUV Facultas Wien

HELGA ESSELBORN-KRUMBIEGEL

Leichter lernen

Strategien für Prüfung und Examen

FERDINAND SCHÖNINGH
PADERBORN · MÜNCHEN · WIEN · ZÜRICH

Umschlagabbildung: Graffiti aus München © Foto: Helga Esselborn-Krumbiegel 2005

Helga Esselborn-Krumbiegel, Studium der Germanistik, Anglistik und Komparatistik in München, Bristol (England), Bonn und Köln. Promotion in Germanistik, Lehrtätigkeit an der Universität Köln, Ausbildung in Poesie- und Bibliotherapie. Leitet das Schreibzentrum Köln. Zahlreiche Publikationen zur Didaktik wissenschaftlichen Schreibens, zum Bildungsroman, zur Autobiographie und über Hermann Hesse.
Von ihr ist bereits erschienen: Von der Idee zum Text. Eine Anleitung zum wissenschaftlichen Schreiben (UTB 2334).
Kontakt: www.schreibzentrum-koeln.de

Bibliografische Informationen der Deutschen Bibliothek

Die Deutsche Bibliothek verzeichnet diese Publikation in der Deutschen Nationalbibliografie; detaillierte bibliografische Daten sind im Internet über http://dnb.ddb.de abrufbar.

Gedruckt auf umweltfreundlichem, chlorfrei gebleichtem Papier.

(Verlag Ferdinand Schöningh GmbH, Jühenplatz 1, D-33098 Paderborn)
ISBN 3-506-72986-1

Internet: www.schoeningh.de

Printed in Germany.
Herstellung: Ferdinand Schöningh, Paderborn
Einbandgestaltung: Atelier Reichert, Stuttgart

UTB-Bestellnummer: ISBN 3-8252-2755-3

Es genügt nicht, zum Meer zu kommen,

um Fische zu fangen.

Man muss auch das Netz mitbringen.

Chinesisches Sprichwort

INHALT

Kapitel 1

Endspurt Prüfung

Nach einer schlaflosen Nacht schwanken Sie bleich und mit dunklen Ringen unter den Augen Ihrer Prüfung entgegen. Zitternd betreten Sie den Prüfungsraum. Als Ihr Prüfer die erste Frage stellt, bricht Ihnen der Schweiß aus. Ihr Kopf ist wie leer gefegt. Gedanken jagen durch Ihren Kopf, Erinnerungsfetzen tauchen auf und verschwinden wieder – der totale Blackout! – Da klingelt der Wecker! Sie reiben sich die Augen und atmen erleichtert auf: noch drei Monate bis zur Prüfung!

Und jetzt stellen Sie sich vor, wie Ihre Prüfung stattdessen laufen könnte: Gut ausgeschlafen und nach einem leichten Frühstück machen Sie sich in Ihrem Lieblingsoutfit – wenn es nicht gerade die zerrissene Jeans und das ausgewaschene T-Shirt aus Mallorca sind – auf den Weg zu Ihrer Prüfung. Unterwegs lassen Sie die bunten Mindmaps in Ihrem Kopf vorüber ziehen, mit denen Sie in den letzten Wochen gearbeitet haben. Vor der Tür zum Prüfungsraum greifen Sie noch einmal in Ihre Jackentasche nach dem kleinen Talisman, der Sie begleitet, und sprechen sich innerlich ruhig und mit Überzeugung den Satz vor *Ich schaffe das gut.* Mit einem Lächeln begrüßen Sie Ihren Dozenten und nehmen auch während der Prüfung hin und wieder Blickkontakt auf. Die meisten Fragen beantworten Sie konzentriert und zielgenau. Als Ihr Prüfer auf die Uhr schaut und aufsteht, um Sie zu verabschieden, ziehen Sie erstaunt die Augenbrauen hoch: *Wie? Schon vorbei?*

Zauberei? Nein, im Gegenteil: mit ein paar Strategien zum effizienten Lernen können Sie Lernhindernisse überwinden, Ihr Wissen festigen und Ihre Prüfung erfolgreich bestehen. Dieses Buch begleitet Sie auf Ihrem Weg von der Planung bis zur Prüfung. Vielleicht haben Sie beim Durchblättern schon gemerkt, dass auf den folgenden Seiten häufig von Examensprüfungen die Rede ist. Selbstverständlich können Sie alle Tipps zur Motivation, zur Arbeits- und Zeitplanung, zum Umgang mit Prüfungsstress und sämtliche Lerntipps auch für Zwischenprüfungen nutzen. Obwohl das Buch vor allem zum Selbststudium gedacht ist, lässt es sich auch in Lerngruppen praktisch einsetzen. Übungen und Beispiele erleichtern Ihnen das Arbeiten im Alleingang oder in der Lerngruppe.

Sicher haben Sie sich bereits gefragt: Wie kann ich meine Zeit bis zur Prüfung am sinnvollsten nutzen? Wie organisiere ich meinen Lernprozess so, dass ich die unterschiedlichen Wissensgebiete ungefähr gleichmäßig vorbereiten kann? Reicht die Zeit dafür aus? Wie stelle ich einen realistischen Zeitplan auf? Wie lerne ich richtig? Welcher Lernaufwand lohnt sich überhaupt? Was genau wird eigentlich von mir verlangt? Soll ich alleine lernen oder lieber in einer Lerngruppe? Ist die Prüfung für mich irgendwie kalkulierbar? Kann ich auf den Prüfungsverlauf Einfluss nehmen? Wie kann ich mich über längere Zeit zum Lernen motivieren? Was mache ich gegen den totalen Blackout? Wie gehe ich mit Stress und Prüfungsangst um?

Antworten auf diese Fragen finden Sie auf den nächsten 200 Seiten. Jedes Kapitel beginnt mit einem kurzen Überblick. So können Sie gezielt einzelne Themen wie „Arbeitsatmosphäre", „Prüfungsthemen wählen" oder „Prüfung üben" ansteuern. Außerdem unterstützen konkrete Hilfestellungen Ihren Lernprozess. Das Buch will Ihnen unterschiedliche Strategien vermitteln, wie Sie Ihre Lernleistung optimieren und Ihre Prüfungen erfolgreich meistern können.

Voraussetzung für ein effektives Lernen ist zunächst eine solide Motivation und der Wille zum Lernen. Hier helfen Ihnen unterschiedliche Motivationsanreize und mentales Training. Aber zum erfolgreichen Lernen gehören auch individuelle Rituale, eine förderliche Arbeitsatmosphäre und sinnvolle Lerneinheiten. Und schließlich müssen Sie auch entschlossen gegen Konzentrationskiller und Zeitfresser vorgehen (Kapitel 2).

Für eine ökonomische Arbeitsorganisation braucht man sowohl eine realistische Arbeitsplanung als auch ein geeignetes Umfeld und effektive Arbeitstechniken (Kapitel 3). Hinzu kommt eine konkrete Zeitplanung, die Lernetappen und Arbeitszeiten festlegt (Kapitel 4).

Ihr Lernprozess beginnt mit der Aufnahme von Wissen. Wir überlegen zunächst gemeinsam, wie Sie Ihre Themenschwerpunkte wählen sollten, und konzentrieren uns dann auf die Auswahl und Auswertung von Forschungsliteratur (Kapitel 5). Um das erworbene Wissen auch behalten und wiedergeben zu können, müssen Sie es zunächst verankern, das bedeutet: strukturieren und gehirngerecht aufbereiten (Kapitel 6). Um den Lernstoff sicher in Ihrem Gedächtnis zu speichern, brauchen Sie außerdem den richtigen Lerneinstieg, geeignete Lernmedien und Lerntechniken sowie eine effektive Lernkontrolle (Kapitel 7).

Ihre Prüfungsklausur gelingt umso leichter, je gründlicher Sie sich durch Arbeitsgliederungen und Probeklausuren darauf vorbereitet haben. Außerdem sollten Sie wissen, worauf Sie in der Klausur besonders achten müssen (Kapitel 8). In der mündlichen Prüfung kommt es vor allem darauf an, das eigene Wissen flexibel, strukturiert und zielgenau einzusetzen und die Prüfung aktiv mit zu gestalten (Kapitel 9).

Dass Sie trotz solider Vorbereitung immer wieder Prüfungsangst und Prüfungsstress erleben werden, ist unumgänglich. Dieses Buch will Ihnen auch gar nicht vorgaukeln, Sie könnten „ohne Angst in die Prüfung" gehen. Es möchte Sie aber ermutigen und Ihnen Wege aufzeigen, Ihre Prüfungsangst zu verstehen und zu beherrschen. Deshalb schlage ich Ihnen ganz unterschiedliche Lösungen für den Umgang mit Prüfungsstress und Angstgefühlen vor und bitte Sie, selber auszuprobieren, was *Ihnen* hilft (Kapitel 10).

Das Buch möchte Sie ermutigen, Ihre Prüfung mit realistischem Blick zu sehen, Ihre eigenen Stärken und Schwächen zu prüfen, Ihr Lernen zu optimieren und sich ohne diffuse Ängste und Katastrophenphantasien planvoll auf die Anforderungen vorzubereiten, die auf Sie warten.

Erfahrungsgemäß haben Prüfungskandidaten, die ein enormes Lesepensum bewältigen müssen, selten Lust, *freiwillig* noch mehr Lesearbeit auf sich zu nehmen. Deshalb habe ich die Tipps und Tricks zum Lernen so ausführlich wie nötig, aber so knapp und gebrauchsfertig wie möglich für Sie zusammen gestellt. „Jede Seite muss sich lohnen" ist die Devise dieses Buches.

Kapitel 2

Motivation und Konzentration

Motivation und Konzentration

1. Die Themenwahl
2. Der Wille zum Lernen
3. Die Arbeitsatmosphäre
   - Rituale
   - Free Writing
4. Lerneinheiten
   - Lernzeiten begrenzen
   - Arbeitsaufträge formulieren
   - Teilziele setzen
5. Konzentration
6. Motivation
   - mentales Training
   - Prioritäten setzen
   - Lerngruppen
   - Checkliste der Motivationsanreize

Um motiviert und konzentriert arbeiten zu können, brauchen Sie Wissensgebiete, die Ihr Interesse wecken. Genau so wichtig ist aber Ihr eigener bewusster Entschluss, die Mühen des Lernens und die Herausforderungen der Prüfungssituation auf sich zu nehmen. Planen Sie Ihren Lernprozess sorgfältig und machen Sie sich dabei Ihre persönlichen Stärken zu nutze. Setzen Sie Ihr Potenzial aber auch ein, um Ihre Schwächen auszugleichen.

1. Die Themenwahl

Wählen Sie als Prüfungsgebiete wenn möglich Themen, die Sie hinreichend interessieren. Es wird Ihnen leichter fallen, sich mehrere Wochen oder Monate mit Ihren Themen zu beschäftigen, wenn Ihnen die Arbeit neben Stress und Mühe auch immer wieder Freude macht. Wenn Sie schon über längere Zeit ein wissenschaftliches Journal, eine Mischung von Tagebuch und Arbeitsjournal, führen, kennen Sie wahrscheinlich bereits die Themen und Gebiete, die bisher Ihre Neugier geweckt haben.

Themen nach Interessenschwerpunkten aussuchen

In einem solchen Journal notieren Sie in unregelmäßigen Abständen alle Fragen, die in Vorlesungen und Seminaren, bei der Lektüre von Primärtexten, Quellen oder Forschungsbeiträgen auftauchen und denen Sie gern einmal genauer nachgehen würden. Auch Anregungen aus Zeitungsartikeln, Rundfunkbeiträgen oder Fernsehsendungen sammeln Sie in Ihrem Journal. Halten Sie alle Einfälle aus Gesprächen und Diskussionen fest. Nach dem Besuch einer Ausstellung oder einer Tagung notieren Sie kurz Ihre Eindrücke. Schreiben Sie alle Ideen auf, die Ihnen vielleicht während Ihrer Fahrten mit Bus und Bahn durch den Kopf gehen. Mit der Zeit werden Sie feststellen, dass Ihr Interesse immer deutlichere Konturen annimmt.

Journal führen

Achten Sie auch darauf, dass Sie möglichst nur Themengebiete für Ihre Prüfung wählen, denen Sie schon einmal im Rahmen eines Seminars oder einer Vorlesung begegnet sind. Sie werden mit größerem Zutrauen an Ihre Arbeit herangehen, wenn Sie sich bereits mit dem Themenkreis beschäftigt haben.

vertraute Themen wählen

2. Der Wille zum Lernen

Die entscheidende Vorraussetzung für ein erfolgreiches Lernen ist der grundlegende *Wille zum Lernen.* Machen Sie sich klar, dass Sie sich in jeder Phase Ihres Lernprozesses auch *gegen* das Lernen entscheiden könnten. Wahrscheinlich überrascht Sie dieser Gedanke. Bislang hatten Sie viel eher das Gefühl: „Ich *muss* die Prüfung jetzt machen. Ich *muss* für die Prüfung lernen". Dieses „Muss" empfinden Sie als starken Druck von außen, gegen den Sie sich zur Wehr setzen. Auch Selbstvorwürfe wie „ich hätte eigentlich schon viel früher anfangen sollen", führen nur zu Zerknirschung und, im unglücklichen Fall, zur Arbeitsblockade. Versuchen Sie stattdessen, Ihre Situation einmal anders zu sehen: Sie *wollen* Ihr Studium erfolgreich beenden, aus ganz unterschiedlichen Gründen – es ist und bleibt *Ihre* Entscheidung! Natürlich wäre eine Entscheidung *gegen* die Prüfung für Sie mit unbequemen Konsequenzen verbunden – aber *Sie* sind es selber, die sich *für* statt *gegen* die Prüfung entscheidet. Lernen *wollen* statt lernen *müssen* eröffnet Ihnen neue Freiräume. Fragen Sie sich ganz konkret:

Entscheidung zum Lernen

- *Was will ich als Nächstes anpacken?*
- *Wann fange ich damit an?*
- *Mit welchem Schritt fange ich an?*

Durch diesen Wechsel der Perspektive und die aktive Planung wird Ihre Motivation steigen und Ihre Freude am Lernen wird zunehmen.

aktive Planung

Machen Sie sich immer wieder Ihre vielfältigen Motive, für die Prüfung zu lernen, bewusst. Die lebhafte Vorstellung der eigenen Motivation stärkt Ihre Lernbereitschaft.

Nehmen Sie auch Ihre unvermeidliche Prüfungsangst als positives Zeichen: ohne Anspannung könnten Sie kaum die enorme Leistung erbringen, die eine Prüfung von Ihnen verlangt. Nehmen Sie die Herausforderung der Prüfungssituation an: beweisen Sie sich selber, dass Sie in der Lage sind, Ihre Arbeit effektiv zu organisieren, Ihr Wissen verständlich und ansprechend zu kommunizieren und sowohl vor als auch in der Prüfung Stress und Angst zu kontrollieren. Diese Fähigkeiten werden Ihnen auch in Ihrem Berufsleben immer wieder von Nutzen sein. Es lohnt sich also, sie zu trainieren!

Herausforderung der Prüfung annehmen

3. Die Arbeitsatmosphäre

Schaffen Sie sich von Anfang an eine entspannte Atmosphäre zum Lernen. Entwickeln Sie kleine Rituale, die Sie zur Ruhe kommen lassen und aufs Arbeiten einstimmen: manchmal genügt eine Tasse Tee und das gedankenverlorene Kritzeln mit dem Bleistift auf einem Stück Papier.

Rituale

Schaffen Sie Platz in Ihrem Kopf durch fünf Minuten Free Writing: Notieren Sie auf einem leeren Blatt Papier alles, was Ihnen durch den Kopf geht, „ohne den Stift abzusetzen". Schreiben Sie ohne Zensur „automatisch" alle Ihre Gedanken nieder. Keine Angst, es liest niemand außer Ihnen! Dann legen Sie das Blatt beiseite, ohne es noch einmal durchzulesen. Jetzt haben Sie den Kopf frei für Ihre Arbeit und können loslegen.

Free Writing

Statt des Free Writing können Sie auch einmal probieren, gezielt über Ihr Lernpensum des Tages zu schreiben, um sich dem Thema zu nähern:

- *Womit will ich mich heute beschäftigen?*
- *Was weiß ich schon über diesen speziellen Themenaspekt?*
- *Was will ich noch herausfinden?*
- *Welche Literatur lese ich heute?*
- *Welche Fragen soll mir diese spezielle Literatur beantworten?*

Gedankensammlung

Diese lockere Gedankensammlung stimmt Sie auf Ihr Arbeitsgebiet ein und zeigt Ihnen zugleich jeweils zu Beginn einer Arbeitsphase, wo Sie im Lernprozess gerade stehen.

Anreize schaffen

Sie können Ihre Arbeit auch damit beginnen, fünf Minuten lang Musik zu hören und dabei erst einmal locker in Ihren Papieren zu blättern. Vielleicht macht es Ihnen ja Spaß, für jedes Themengebiet eine spezielle Musik zu suchen, die Sie dann jedes Mal auflegen, wenn Sie *dieses* Themengebiet angehen. Außerdem können Sie den „Aufforderungscharakter" Ihres Lernstoffes spielerisch erhöhen, wenn Sie kleine Anreize einbauen: buntes Konzeptpapier, eine lustige Collage, ein mehrfarbiger Regenbogenstift, ein anregendes Umfeld (eine Blume, ein dynamisches Bild, ein Talisman?). Probieren Sie unterschiedliche Rituale aus: wichtig ist allein, dass diese kleinen Gewohnheiten Sie gut aufs Arbeiten einstimmen.

Manchmal genügt es auch, trotz Unlust und geringer Leistungsbereitschaft, eine Lernaufgabe ruhig einmal halbherzig anzufangen: eine begonnene Aufgabe drängt oftmals von sich aus zum Weitermachen. Und Ihre Zufriedenheit darüber, dass Sie es geschafft haben, überhaupt anzufangen, wirkt zusätzlich stimulierend. Auch wenn die Ergebnisse dieser Lernphase vielleicht nicht ganz so zufriedenstellend sind, haben Sie sich doch wie der Baron Münchhausen an Ihrem eigenen Zopf aus dem Sumpf gezogen!

Hauptsache: anfangen!

4. Lerneinheiten

Bei extremer Arbeitsunlust versuchen Sie, mit ganz kleinen Arbeitseinheiten zu beginnen: nehmen Sie sich bewusst insgesamt nur 30 oder 40 Minuten am Tag für Ihre Prüfungsvorbereitung Zeit. Diese Lernspanne wird Sie nicht überfordern und deshalb auch nicht abschrecken. Wenn Sie dann erst einmal mit lauter kurzen Lernetappen angefangen haben, stellen Sie nach wenigen Tagen fest, dass das Lernen gar nicht so mühsam und aussichtslos ist, wie Sie insgeheim gefürchtet hatten. So können Sie sich jeden Tag über einen kleinen Lernerfolg freuen. Schon bald werden Sie den Wunsch haben, Ihre Lernphasen auszuweiten und Ihre Erfolgsbilanz zu verbessern. Steigern Sie Ihre Konzentration durch kurze schriftliche Arbeitsaufträge: bereiten Sie die Arbeitseinheit des kommenden Tages vor, indem Sie genau notieren, was Sie in welcher Zeit bearbeiten wollen. Sie haben dann zu Beginn jeder Lerneinheit eine ganz bestimmte Aufgabe vor sich, die Sie gezielt abarbeiten können. Formulieren Sie Ihre Aufgabe so konkret wie möglich und halten Sie schriftlich fest, welches Teilziel Sie erreichen wollen. Es wird Ihnen viel leichter fallen, in einem überschaubaren Arbeitsprozess auf konkrete Ziele hin zu arbeiten.

Lernzeit begrenzen

schriftliche Arbeitsaufträge

Die zeitliche Begrenzung hilft Ihnen außerdem, effektiver zu arbeiten. Nehmen Sie sich z.B. vor, die Kernaussage eines schwierigen Fachaufsatzes von, sagen wir, 10 Seiten in 45 Minuten herauszufiltern und in eigenen Worten zu formulieren. Danach dürfen Sie eine Pause einlegen. Sie werden feststellen, dass Sie diese 45 Minuten intensiver nutzen, als wenn Sie sich kein Zeitlimit gesetzt hätten.

Teilziele setzen

Setzen Sie sich außerdem immer wieder kleinere Teilziele. Sie steigern auf diese Weise Ihre Lernbereitschaft. Je öfter Sie nämlich eine positive Bilanz ziehen, um so stetiger steigt Ihre Arbeitsmotivation. Indem Sie sich also häufige kleine Erfolgserlebnisse bereiten, erhöhen Sie insgesamt Ihre Lernmotivation.

Bilanz ziehen

Beenden Sie die Arbeit eines Tages immer mit einem Blick zurück auf Ihren Lernerfolg und einem Blick nach vorn auf die nächste Aufgabe. Skizzieren Sie kurz, welches Teilgebiet, welcher Analyseschritt, welches Lektürepensum am nächsten Tag anstehen. Wenn Sie in Ihren Überlegungen gerade in einer Sackgasse stecken, notieren Sie Lösungsansätze, Hilfsmittel, Fragen. Auf diese Weise vermeiden Sie eine drohende Arbeitsblockade.

Wählen Sie für Ihre Arbeitsphasen die geeignete Tageszeit und beugen Sie vorzeitiger Ermüdung durch einen Wechsel der Themengebiete, der Lernkanäle und Lernmedien vor (vgl. hierzu Kap.3 und Kap.6).

5. Konzentration

Konzentrationskiller kennen lernen

Notieren Sie einmal über mehrere Tage hinweg Ihre Konzentrationskiller: immer wenn ein Gedanke, eine konkrete Aufgabe oder Anforderung Ihre Konzentration stört, schreiben Sie sie auf. Sie werden sehen, dass Ihre Konzentration steigt, wenn Sie die Gedanken, die Ihnen immer wieder durch den Kopf gehen, einfach auf einem Blatt Papier festhalten.

Am häufigsten stören alltägliche Erledigungen, Fluchtphantasien und Panikattacken die Konzentration beim Lernen. Planen Sie jeden Tag eine feste Zeit ein, um Ihre Liste der Störungen durchzugehen:

alltägliche Erledigungen: „Alltagskram"

- Welche anstehenden Aufgaben wollen Sie wirklich erledigen und wann haben Sie dafür Zeit?
- Auf welche Erledigungen können Sie ganz verzichten? Welche Aufgaben können Sie guten Gewissens aufschieben oder delegieren?

Fluchtphantasien: Fluchtphantasien

- Welche Wünsche haben Sie?
- Welche Bedürfnisse drücken sich darin aus?
- Wie könnten Sie sich diese Wünsche erfüllen und wie lassen sie sich in Ihren Alltag/Ihre Freizeit integrieren?

Panikattacken: Panik

- Katastrophenszenarien sollten Sie durch einen sofortigen Gedankenstopp blockieren.
- Wenn Ihre Angst abgeklungen ist, schauen Sie den realen und eingebildeten Gefahren gelassener ins Auge (vgl. Kap. 10).

Wenn Sie Ihre Konzentrationskiller auf diese Weise „ernst nehmen", anstatt sie vergebens rigoros unterdrücken zu wollen, werden Sie erleichtert feststellen, dass die störenden Gedanken nach und nach abnehmen.

Neben den störenden Gedanken gibt es natürlich auch ganz reale Störungen: Anrufe, unerwartete Besucher, SMS, dringende Emails und all die vielfältigen Attraktionen, von denen Sie sich gern ablenken lassen. Stellen Sie eine Liste *Ihrer* wichtigsten Störungen auf und gehen Sie jede Ablenkung einzeln durch:

reale Störungen

- Sie können Ihr Telefon vorübergehend ausstöpseln oder sich einen Anrufbeantworter zulegen.
- Sie können Ihren Freunden und Bekannten mitteilen, dass Sie bis zum Examen nur zu bestimmten Zeiten erreichbar sind.
- Sie können sich nach einer Arbeitsphase belohnen, indem Sie in Ihrer Mittagspause Ihre Emails und SMS checken.

Und die übrigen Attraktionen?

- Fangen Sie während der Prüfungsvorbereitung keinen Krimi an, den Sie nicht an einem Wochenende durchlesen können.

- Beginnen Sie kein Puzzle mit 3000 Teilen, das Sie über Wochen auf Trab hält.
- Verbannen Sie alle Anreize, die Sie vom Arbeiten abhalten könnten, außer Sichtweite, besser noch außer Reichweite.
- Planen Sie außerhalb Ihrer Lernetappen Zeiten ein, um im Netz zu surfen, Zeiten für interaktive Spiele und ähnliche Freizeitaktivitäten.

Konzentrationsübung

Sie können Ihre Konzentration auch mit einer einfachen Übung fördern: suchen Sie sich einen ruhigen Platz und legen Sie einen Gegenstand vor sich hin: eine Blume, ein Souvenir oder einen Gebrauchsgegenstand. Erforschen Sie diesen Gegenstand 2 Minuten lang konzentriert mit allen Sinnen und merken Sie sich alle Einzelheiten wie Form, Farbe, Geruch, Geschmack, Oberfläche, Muster usw. (Abb. 1) Dann schließen Sie die Augen und rekonstruieren den Gegenstand so vollständig wie möglich in Ihrer Vorstellung. Anschließend vergleichen Sie Ihr inneres Bild mit dem Original.

Abbildung 1: Konzentrationsübung

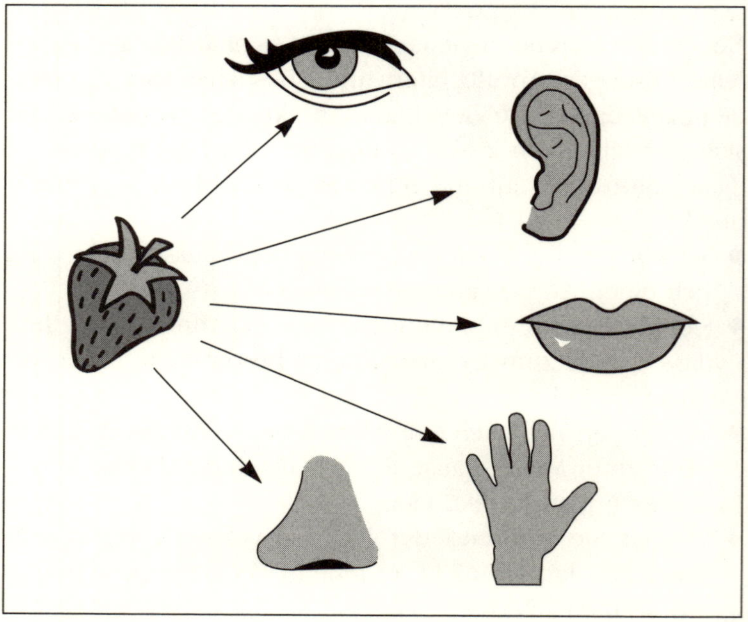

Wenn Sie diese Übung öfter wiederholen, werden die beiden Bilder einander immer ähnlicher werden und Ihre Konzentrationsfähigkeit wird wachsen.

Wenn Sie besondere Schwierigkeiten haben, sich längere Zeit auf einen Text zu konzentrieren, dann messen Sie zunächst, wie lange Sie sich ohne größere Ablenkungen noch gut konzentrieren können. Nehmen wir an, Sie können nur 15 Minuten ohne Unterbrechung lesen. Dann nehmen Sie sich vor, Ihre nächste Arbeitsetappe in Einheiten von je 10 Minuten zu unterteilen. *Bevor* Ihre Konzentration erheblich nachlässt, machen Sie eine kurze Pause. Erst wenn Sie merken, dass dieser Rhythmus über längere Zeit reibungslos funktioniert, erhöhen Sie Ihr Pensum auf 15 Minuten. Auf diese Weise können Sie nach und nach Ihre Konzentrationsfähigkeit auf 30 Minuten steigern. Jeweils nach 30 Minuten legen Sie dann eine Pause von 5 Minuten ein. Nach höchstens drei Mal 30 Minuten Lesen ist eine längere Pause von mindestens 20 Minuten fällig.

Konzentration Schritt für Schritt steigern

In einem Zwei-Wochen-Programm können Sie Ihre Konzentration systematisch verbessern, indem Sie Ihre Lesespanne in 5-Minuten-Schritten erweitern.

Wenn Sie merken, dass Sie sich überfordert haben, reduzieren Sie die Zeitspanne vorübergehend wieder. Irgendwann stellt sich ein individuelles Optimum ein, das Sie als Ihre ei-

Abbildung 2: Konzentrationssteigerung

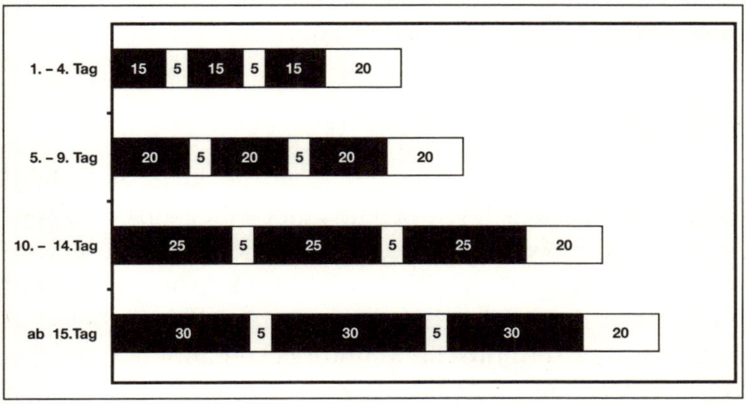

gene Grenze der Belastbarkeit akzeptieren sollten. Ihre Belastbarkeit ist aber nicht nur von Ihren Arbeitsgewohnheiten und von Ihrer Tagesform abhängig, sondern auch von der jeweiligen Lernaufgabe. Während es Ihnen bei dem einen Lernstoff leicht fällt, 30 Minuten hintereinander konzentriert zu lesen und zu exzerpieren, brauchen Sie bei einem schwierigeren Wissensgebiet bereits nach 20 Minuten eine Pause.

individuellen Arbeitsrhythmus finden

Ihre Lernphasen werden auch je nach Arbeitsanforderung variieren: lesen und exzerpieren kann man in der Regel länger als Wissen strukturieren oder Fakten/Zusammenhänge auswendig lernen. Finden Sie im Laufe Ihrer Prüfungsvorbereitungen *Ihren* Arbeitsrhythmus und entwickeln Sie *Ihre* Arbeitsgewohnheiten. Ein effektives Arbeitsverhalten wird Ihnen auch nach der Prüfung noch nutzen.

6. Motivation

Nehmen Sie sich vor allem als Arbeitende ernst; schaffen Sie sich gute Arbeitsbedingungen (vgl. Kap.3), entwickeln Sie einen effektiven Arbeitsrhythmus (vgl. Kap.4) und bilanzieren Sie Ihre Erfolge. Entwerfen Sie einen realistischen Zeitplan für Ihre Prüfungsvorbereitungen und genießen Sie immer wieder bewusst den Moment, wenn Sie das erledigte Pensum des Tages abstreichen können. Planen Sie nicht nur Ihre Arbeit, sondern motivieren Sie sich auch durch die Vorfreude auf reizvolle Freizeitaktivitäten.

6.1. Mentales Training

positives Selbstbild entwerfen

Stärken Sie Ihre Motivation durch ein positives Selbstbild. Stellen Sie sich täglich vor Beginn einer Arbeitsphase folgende kleine Szene vor: Sie gehen wach und neugierig an Ihre Aufgaben heran, erarbeiten sich Schritt für Schritt zügig und konzentriert neues Wissen, freuen sich nach jeder Arbeitseinheit über Ihre Lernfortschritte und blicken am Ende des Tages zufrieden auf Ihre Leistung zurück. Malen Sie sich diese kleinen Szenen mit allen Details aus: die einschlägigen Bücher und Fotokopien auf Ihrem übersichtlich aufgeräumten Schreibtisch, Ihre Notizen und Exzerpte auf einem Papier in Ihrer Lieblingsfarbe, Ihre farbigen Mindmaps mit originellen Symbolen, Ihre wache Aufmerksamkeit beim Lesen und Exzerpieren und das siegreiche Gefühl, den Lerntag effektiv genutzt zu haben. Vergessen Sie auch nicht, sich vorzustellen, welche angenehme Freizeitbeschäftigung Sie nach Ihrem Arbeitstag erwartet.

Auch wenn dieses Selbstbild zunächst nur in einigen Punkten Ihrer Realität entspricht, praktizieren Sie diese positive Selbstverstärkung dennoch während Ihrer gesamten Prüfungsvorbereitung. Nach und nach wird sich Ihr reales Arbeitsverhalten Ihrem Vorstellungsbild immer mehr annähern.

Sicherlich wissen Sie, dass viele Spitzensportler Ihre Erfolge durch ein mentales Training begleiten: sie stellen sich schon zu Beginn des Trainings ihre sportliche Leistung in allen Einzelheiten Schritt für Schritt, Bewegung für Bewegung vor. Auf diese Weise stärken sie ihre Kompetenz und erhalten sich sogar in Phasen körperlicher Inaktivität – z.B. nach einem Unfall – einen Teil ihrer Leistungsfähigkeit. In ganz ähnlicher Weise können Sie Ihre Arbeitsfähigkeit und Ihren Prüfungserfolg festigen, indem Sie sich immer wieder Ihren konzentrierten Lernprozess und Ihre gelungene Prüfung vorstellen.

mentales Training früh beginnen

Wenn Ihnen diese positiven Phantasien schwer fallen, denken Sie zunächst an eine Situation, in der Sie schon einmal erfolgreich waren. Dieses Highlight kann ein Referat sein, das auf lebhafte Zustimmung stieß, eine besondere sportliche Leistung oder irgendeine andere Erfahrung eines ganz persönlichen Erfolgs. Stellen Sie sich *Ihre* persönliche Erfolgssituation so intensiv wie möglich vor: „sehen" Sie sich in allen Einzelheiten, erinnern Sie sich genau an Ihre Umgebung, „hören" Sie die Geräusche von damals um sich herum, „spüren" Sie noch einmal das Gefühl von Zufriedenheit, Erleichterung und Erfolg. „Fotografieren" Sie in Ihrer Erinnerung dieses Bild Ihres Erfolgs. Und nun rufen Sie täglich vor Arbeitsbeginn mit geschlossenen Augen dieses Erfolgsbild in Ihrer Erinnerung auf. Konzentrieren Sie sich eine halbe Minute lang ganz

„Highlights" aufrufen

Erfolgsbild fotografieren

auf dieses Bild und genießen Sie die Kraft, die von ihm ausgeht.

adressatenorientiert lernen

Stellen Sie sich während des Lesens und Lernens immer sofort vor, Sie sollten Ihren Lernstoff einem interessierten Zuhörer erklären. Das aktiviert einerseits Ihr eigenes Denken und motiviert Sie andererseits zu zielorientiertem Arbeiten. Nehmen Sie sich vor: heute will ich meinem Zuhörer *diesen* Lernhappen erklären; am Ende meiner Lerneinheit soll er *diese* Zusammenhänge verstanden haben. Diese Vorstellung klärt zugleich die wichtige Frage: *Wann habe ich mein Lernziel des Tages erreicht?* Sie haben es dann erreicht, wenn Ihr Zuhörer die Lernaufgabe des Tages verstanden hat. Natürlich können Sie Ihr Wissen am Ende jedes Tages auch einem realen Zuhörer vortragen. Aber auch ein vorgestellter Zuhörer, Ihr Hund oder der Baum vor Ihrem Fenster sind geeignete Adressaten!

6.2 Prioritäten setzen

Prioritätenliste

Beginnen Sie Ihre Prüfungsvorbereitungen immer mit dem Wichtigsten! Stellen Sie eine Prioritätenliste für jeden Tag auf:

- *Was will ich unbedingt schaffen?*
- *Was sollte ich noch erledigen?*
- *Was würde ich gerne noch nachsehen, vertiefen, ausarbeiten, ergänzen?*

Erledigen Sie zuerst die Aufgabe mit der höchsten Priorität. Dann gehen Sie die nächste Arbeit an. Die Aufgabe mit der niedrigsten Priorität nehmen Sie sich nur vor, wenn die anderen Aufgaben bereits erfüllt sind. Das kann z.B. bedeuten, dass bei insgesamt kurzer Vorbereitungszeit kein Spielraum bleibt, um Themengebiete zu vertiefen. In diesem Fall konzentrieren Sie sich ganz auf die wichtigsten Aspekte Ihres Themengebiets. Sie können Ihre Motivation stärken, indem Sie jeden Tag mit einer Arbeit höchster Priorität beginnen. So erwerben Sie sich ein solides Basiswissen, mit dem Sie die Prüfung auf alle Fälle bestehen werden.

bei Zeitnot auf Basiswissen konzentrieren

6.3 Lerngruppen

Bereiten Sie sich wenn möglich in Lerngruppen auf die Prüfungen vor. Mit anderen zusammen fällt es leichter, Arbeitspläne aufzustellen und zu erfüllen. Gemeinsam kann man Arbeitszeiten und Arbeitspensum realistischer kalkulieren und Verabredungen leichter einhalten. Wenn Sie wissen, dass Ihre Mitlerner zu einem bestimmten Termin von Ihnen eine Einführung in ein bestimmtes Prüfungsgebiet oder die Zusammenfassung eines Forschungsbeitrags erwarten, werden Sie zielgerichtet und motiviert daran arbeiten. Mit der Arbeitsgruppe gemeinsam kann man auch am besten Bilanz ziehen: Schwächen in der Arbeitsorganisation oder im Lernverhalten lassen sich schneller entdecken und effektiver beheben. Achten Sie aber darauf, dass Ihre Lerngruppe ein ungefähr vergleichbares Lernniveau hat. Wenn die Leistungsunterschiede zu groß sind, wirkt die Gruppenarbeit auf den Einzelnen nicht mehr wirklich anspornend.

Lernen in Gruppen motiviert

auf ähnliches Lernniveau achten

Organisieren Sie Ihren gemeinsamen Arbeitsprozess so, dass Sie in jeder Sitzung genau festlegen, welcher Stoff in der kommenden Sitzung besprochen werden soll und wer welche vorbereitende Aufgabe übernimmt: Wer referiert welchen Text? Wer übernimmt das Ko-Referat? Es sollten immer zwei Prüflinge einen Text bearbeiten, um sich gegenseitig in Ihrem Verständnis und in ihrer Einschätzung zu ergänzen. Gemeinsam sollten Sie ein Mindmap oder eine andere Lernhilfe vorbereiten und präsentieren. In der Gruppendiskussion kann diese Lernhilfe dann ergänzt oder verändert werden.

Aufgaben verteilen und Lernhilfen vorbereiten

Reihum sollte jeder Teilnehmer und jede Teilnehmerin einmal die Organisation und Leitung einer Sitzung übernehmen. Sie oder er klärt rechtzeitig vor der Sitzung, ob alle Gruppenmitglieder teilnehmen können und ob die Referenten noch Unterstützung für ihre Vorbereitungen brauchen. Sie oder er achtet darauf, dass das gewählte Thema oder der gewählte Aspekt im Mittelpunkt der Diskussion steht und sorgt dafür, dass am Ende jeder Sitzung konkrete Ergebnisse festgehalten werden. Je nach Gruppengröße kann man für das Ergebnisprotokoll einen Protokollanten bestimmen oder – bei kleinen Lerngruppen – gemeinsam die Ergebnisse notieren.

Organisation und Leitung reihum wechseln

Ergebnisse festhalten

6.4 Checkliste der Motivationsanreize

Abschließend möchte ich Ihnen eine Checkliste der möglichen Arbeitsanreize vorlegen.

Abb. 3: Motivationsanreize

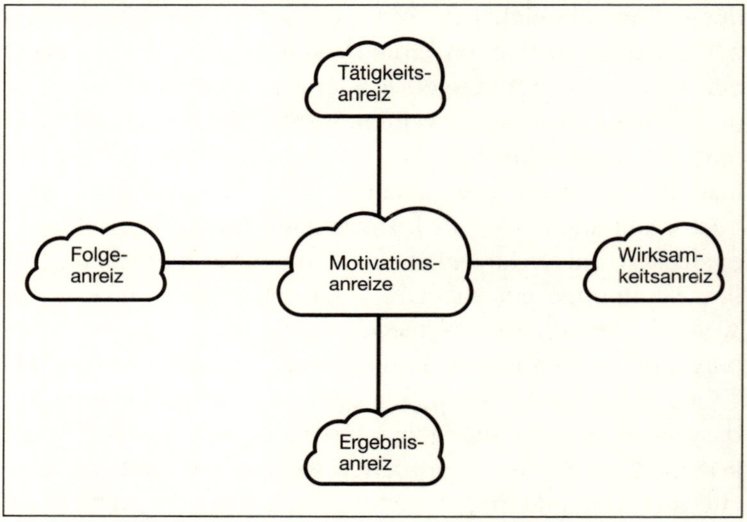

Sehen Sie sich in Ruhe die möglichen Motivationen an und überlegen Sie, welche Motivation in welcher Stärke für *Sie* zutrifft. Entscheiden Sie dann, welche Motivation Sie eventuell bei sich selber noch verstärken könnten.

Aufgabe reizvoll gestalten

Tätigkeitsanreiz: Macht Ihnen Ihre Lernaufgabe Spaß? Welche Lerninhalte interessieren Sie am meisten? Welche Lernwege könnten Sie wählen, um Ihr Lernen abwechslungsreich und angenehm zu gestalten? Welche Möglichkeiten haben Sie, auch Aufgaben, die Ihnen weniger liegen, interessant zu machen? Wie könnten Sie Ihre Erfahrungen während der Prüfungsvorbereitung für spätere – berufliche – Tätigkeiten nutzbar machen?

eigene Gestaltungsmöglichkeiten

Wirksamkeitsanreiz: Wie können Sie selber den Verlauf und das Ergebnis Ihrer Prüfung beeinflussen? Durch gründliche Information, durch solides Lernen, durch Üben, durch aktive Mitgestaltung im Prüfungsgespräch?

Welche Ziele wollen Sie erreichen?

Ergebnisanreiz: Was erreichen Sie mit Ihrer Prüfung?
- Reizt es Sie, in Ihrem Fachgebiet kompetent zu sein?
- Möchten Sie Ihre selbst gesteckten Ziele ereichen?
- Möchten Sie lernen, Ihr Wissen adressatenorientiert zu präsentieren?
- Denken Sie daran, dass Sie bei einer sinnvollen Prüfungsvorbereitung immer auch lernen, Ihren Arbeitsprozess effektiv zu planen!

Was erreichen Sie mit Ihrer Prüfung sonst noch? Natürlich den Abschluss Ihres Studiums und damit eine jederzeit nachweisbare Qualifikation. Und darüber hinaus?
- Empfinden Sie Erleichterung und Freude über Ihre gelungene Leistung?
- Beweisen Sie sich und anderen, dass Sie Ihre Ziele erreicht haben?
- Fühlen Sie sich belohnt für Ihre Anstrengungen der vergangenen Jahre?

Welche Konsequenzen?

Folgeanreiz: Welche lohnenden Folgen hat die bestandene Prüfung für Sie? Können Sie jetzt aktiv einen neuen Lebensabschnitt planen? Können Sie Ihr Wissen endlich praktisch anwenden? können Sie eine lohnende beruflichen Aufgabe übernehmen? Werden Sie wirtschaftlich unabhängig? Können Sie sich einen schon lange gehegten Wunsch erfüllen?

Verantwortung für die eigene Motivation übernehmen

Versuchen Sie insgesamt, so viele Anreize wie möglich für Ihr Lernen zu aktivieren. In diesem Buch werden Sie immer wieder Anregungen finden, wie Sie Ihr Lernen abwechslungsreich und attraktiv gestalten können. Probieren Sie möglichst viele Tipps aus und übernehmen Sie selber die Verantwortung für eine solide Motivation und eine effektive Vorbereitung!

Strategien bei unangenehmen Aufgaben

Auch bei einer insgesamt positiven Motivationslage kann es immer wieder einmal Einbrüche geben. Vielleicht haben Sie gerade eine Lernaufgabe vor sich, die Ihnen gar keinen Spaß macht, oder Sie quälen sich mit einem schwierigen Buch herum. Was können Sie tun, um dennoch erfolgreich zu lernen?

Abbildung 4: Strategien für schwierige Anforderungen

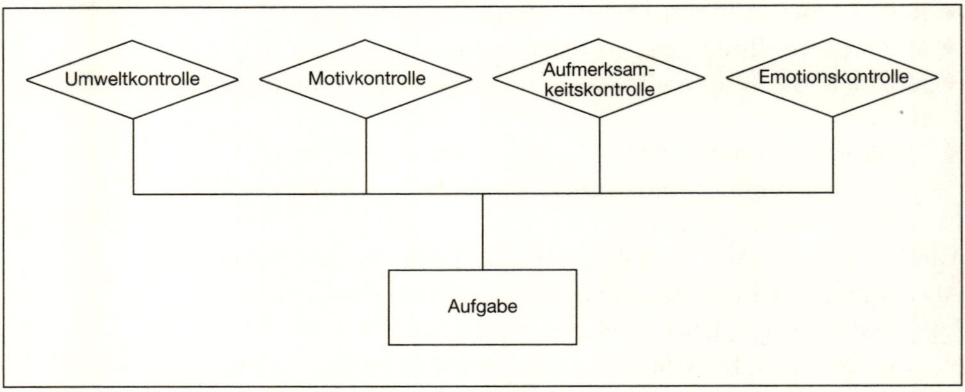

Gefühle überprüfen

1. ***Emotionskontrolle***: Machen Sie Ihrem Herzen Luft. Schimpfen Sie, lassen Sie Druck ab. Danach versuchen Sie, Ihre negativen Emotionen zu regulieren. Stellen Sie sich vor, wie Sie gern reagieren würden: *Ich bin ruhig und konzentriert* oder *Ich schaffe das schon.* Langsam wird sich Ihre Befindlichkeit ändern. Überprüfen Sie auch im Einzelnen Ihre Gefühle gegenüber Ihrem Lernstoff: stärken Sie ermutigende arbeitsfördernde Gefühle und schenken Sie blockierenden Unlustgefühlen wenig Beachtung.

lernfördernde Gedanken stärken

2. ***Aufmerksamkeitskontrolle***: Schirmen Sie ablenkende und abwertende Gedanken gegenüber Ihrer Lernaufgabe ab und verstärken Sie stattdessen alle Gedanken, die Ihre Lernaufgabe aufwerten, erleichtern und fördern. Brechen Sie ebenso alle Überlegungen ab, die Ihnen Handlungsalternativen vorgaukeln, die Ihr Lernen behindern könnten (ins Kino gehen statt zu lernen). Die Gefahr der Ablenkung ist immer dann besonders groß, wenn Sie ein Zwischenziel erreicht haben und nun einen neuen Anlauf nehmen müssen. Seien Sie deshalb beim Übergang von einer Lernetappe zur nächsten besonders wachsam!

positive Gründe und Folgen betonen

3. ***Motivkontrolle***: Halten Sie sich immer wieder die positiven Folgen Ihrer Tätigkeit vor Augen; steigern Sie so Ihren Lernanreiz. Suchen Sie auch nach zusätzlichen guten Gründen für Ihre Lernaufgabe.

4. ***Umweltkontrolle***: Suchen Sie nach lernfördernden Umweltanreizen: Prüflinge, die mit Ihnen gemeinsam lernen; eine Arbeitsatmosphäre, die Ihnen gut tut; Beseitigung von Störfaktoren und Ablenkungen (Fernseher, Telefon, Emails). Wählen Sie aus den ständig verfügbaren Umweltangeboten diejenigen aus, die Sie in Ihren Lernbemühungen unterstützen.

lernfördernde Umweltangebote wählen

Rückblick

Führen Sie über längere Zeit ein wissenschaftliches Journal, um Ihren Interessen auf die Spur zu kommen. Wählen Sie für Ihre Prüfung möglichst Themengebiete, mit denen Sie sich schon einmal beschäftigt haben. Entwickeln Sie Rituale für den Arbeitsbeginn. Lernen Sie Ihre Konzentrationskiller kennen und entwickeln Sie Gegenstrategien. Nutzen Sie die Vorteile des mentalen Trainings, setzen Sie Prioritäten im Arbeitsprozess und stärken Sie Ihre Lernmotivation durch Lerngruppen. Überprüfen Sie Ihre Motivationslage und aktivieren Sie so viele unterschiedliche Lernanreize wie möglich!

Kapitel 3

Arbeitsorganisation

Arbeitsorganisation

1. Arbeitsplanung
- Prüferwahl
- Kompetenzen und Defizite
- Lernplan

2. Arbeitsumfeld

3. Arbeitstechnik
- Lerngebiete wechseln
- Arbeitstechniken wechseln
- PC oder Karteikarten?

Für eine effektive Arbeitsorganisation brauchen Sie einen Überblick über die anstehenden Aufgaben, eine Einschätzung Ihrer eigenen Stärken und Schwächen und einen soliden Lernplan. Um Ihren Lernplan erfolgreich umsetzen zu können, sollten Sie sich Gedanken über Ihr Arbeitsumfeld und Ihre Arbeitstechniken machen.

1. Arbeitsplanung

1.1 Prüferwahl

Ihre Arbeitsplanung beginnt – soweit möglich – mit der Wahl der Prüfenden und der Themengebiete für Klausuren und mündliche Prüfungen. Nehmen Sie deshalb rechtzeitig Kontakt mit Ihren Dozenten und Dozentinnen auf. Bevor Sie allerdings die Sprechstunden besuchen, informieren Sie sich zunächst gründlich über die formalen Prüfungsanforderungen. In den Sprechstunden können Sie dann bereits gezielt nach Einzelheiten fragen. Nicht selten geben die Prüfungs-

Informationen sammeln

anforderungen nämlich nur den Rahmen für die Prüfung vor, den Prüfer und Prüfling anschließend gemeinsam ausfüllen.

Es ist in jedem Fall von Vorteil, wenn Sie Ihren Prüfer/Ihre Prüferin schon aus Seminaren/Vorlesungen/Übungen kennen. Ebenso nützlich ist es, wenn Ihre Dozenten bereits durch Ihre Mitarbeit im Seminar oder durch eine Hausarbeit/ein Referat einen Eindruck von Ihrer Argumentationsfähigkeit gewonnen haben. In der Regel werden die Prüfer versuchen, sich beim Einstieg in die mündliche Prüfung auf Sie einzustellen. Das ermöglicht Ihnen einen sicheren Anfang und lässt Spielräume für die Intensivierung des Prüfungsgespräch offen.

Kennen Sie den Prüfer? Kennt die Prüferin Sie?

Die Prüferwahl ist für viele Studierende mühsam: Es streiten persönliche Vorlieben mit Gerüchten, aber es gibt kein wirklich objektives Entscheidungskriterium. Freuen Sie sich bei aller Qual der Wahl, wenn Sie Ihre Prüfenden selber wählen können, denn in vielen Fächern wird den Prüflingen, wie Sie wissen, ein Prüfer zugeteilt.

Wie sollten Sie also Ihre Wahl treffen? Entscheiden Sie bitte nicht allein nach persönlicher Sympathie. Natürlich muss „die Chemie stimmen", aber es gibt darüber hinaus andere, mindestens ebenso wichtige Gesichtspunkte: nicht nur sollte Ihre Prüferin Sie kennen, sondern auch Sie sollten umgekehrt wissen, welche Schwerpunkte sie in bestimmten Themengebieten gern setzt, wie sie mit kontroversen Meinungen umgeht, welche wissenschaftlichen Ansätze sie besonders schätzt, welche Theorien sie mit kritischer Distanz betrachtet. All diese Fragen können für Ihre eigene Prüfungsvorbereitung wichtig sein. Antworten bekommen Sie in der Regel in den Seminaren/Vorlesungen/Übungen Ihrer Prüfenden. Versuchen Sie auch, rechtzeitig herauszufinden, *wie* die Prüfungen bei Ihrem Dozenten ablaufen: stellt er gern kurze präzise Fragen, auf die er kurze präzise Antworten erwartet? Oder neigt der Prüfer eher dazu, die diskutierten Zusammenhänge selber erst einmal ausführlich darzustellen, so dass Sie darauf achten müssen, Ihr Wissen „an den Mann zu bringen"? Liefert die Prüferin Ihnen Stichworte, die Sie aufgreifen und weiterspinnen können? Oder bevorzugt Sie kontroverse Dis-

Spezialgebiete des Prüfers/der Prüferin?

Prüfungsstil?

kussionsansätze, in denen in erster Linie Ihre eigene Stellungnahme gefragt ist?

Finden Sie in den Sprechstunden heraus, ob Ihr Prüfer sich Zeit nimmt, auf Ihre Fragen einzugehen, und ob Sie mit seinen Antworten „etwas anfangen können". Mitunter reden Prüfer und Prüflinge bereits im Vorfeld der Prüfung so offensichtlich aneinander vorbei, dass auch für die mündliche Prüfung Kommunikationsschwierigkeiten vorauszusehen sind. Natürlich können Sie sich aus anderen Gründen dennoch für einen Prüfer entscheiden, der sehr überlastet ist und deshalb für Ihre Fragen weniger Aufmerksamkeit aufbringen kann. In diesem Fall wissen Sie aber, was Sie erwartet, und können sich rechtzeitig anderweitig Rückmeldung und Unterstützung holen. Vielleicht finden Sie in einer Lerngruppe die nötige Resonanz, vielleicht gibt es an Ihrer Hochschule eine Studienberatung, die Ihnen weiter hilft, vielleicht können Sie im Schreibzentrum Ihrer Hochschule mit erfahrenen Dozenten über Ihre gesamte Prüfungsplanung sprechen?

Kommunikationsstil?

Wo finde ich Hilfe?

Müssen oder wollen Sie dennoch einen Prüfer wählen, bei dem Sie noch keine Veranstaltung besucht haben, so lesen Sie wenigsten vor Ihrer Entscheidung einmal die ein oder andere Publikation Ihres Prüfers. Stellen Sie fest, ob Sie in etwa „die gleiche Sprache sprechen", ob Sie die Texte Ihres Prüfers ohne allzu große Anstrengung verstehen, ob Sie sich zutrauen, die wichtigsten Aussagen herauszufiltern und sachlich richtig wiederzugeben. Die Publikationen Ihrer Prüfenden zu den von Ihnen gewählten Themengebieten sollten Sie auf jeden Fall kennen und darstellen können.

Publikationen des Prüfers/der Prüferin ansehen

Sobald Sie mit Ihren Prüfenden bestimmte thematische Schwerpunkte abgesprochen haben, reichen Sie rechtzeitig vor der Themenanforderung durch die Prüfungsämter (Termine erfragen!) eine detaillierte Liste Ihrer Vorschläge ein. So gehen Sie sicher, dass sich keine Missverständnisse einschleichen. Im Zweifelsfall können und werden Ihre Prüfer mit Ihnen Rücksprache nehmen.

Vorschlagsliste einreichen

1.2 Kompetenzen und Defizite

Bevor Sie jetzt daran gehen, sich neues Wissen zu erarbeiten, überprüfen Sie Ihre Arbeitsbedingungen und Ihr Arbeitsverhalten. Oft lassen sich durch kleine Änderungen große Erleichterungen schaffen.

Was wird von mir verlangt?

Um einen effektiven Arbeitsplan aufzustellen, müssen Sie einerseits einen Überblick über Ihr Wissen und Ihre Fähigkeiten gewinnen und sich andererseits informieren, was genau in der Prüfung von Ihnen verlangt wird. Sobald Sie Ihre Themengebiete festgelegt und Ihr Wissen aktiviert haben, ziehen Sie Bilanz: Welches Hintergrundwissen und welche Schwerpunkte wollen Sie sich erarbeiten? Wo finden Sie die nötigen Informationen? Welche Bücher, Filme, Quellen, Skripten brauchen Sie dafür? Gibt es eine Lerngruppe zu Ihren Themengebieten oder könnten Sie selber eine Lerngruppe gründen? Vielleicht nützt Ihnen auch ein Kurs zur Stressbewältigung oder zum Redetraining? Vielleicht bietet Ihr Institut Probeklausuren für Examenskandidaten an? Oder gibt es ein Repetitorium für Ihr Fachgebiet? Prüfen Sie genau und rechtzeitig, welche Unterstützung für Sie nützlich ist.

Welches Material und welche Unterstützung brauche ich für meine Prüfungsvorbereitung?

Kompetenzen überprüfen

Machen Sie sich auch klar, wo Ihre Stärken und Ihre Schwächen liegen. Vielleicht können Sie sich besonders gut Detailinformationen merken, haben aber Schwierigkeiten, größere Zusammenhänge im Blick zu behalten? Dann gewöhnen Sie sich an, sich selber bei jeder Detailinformation sofort zu fragen: Warum ist dieses Detail wichtig? In welchen Zusammenhang gehört es? Unter welchen Leitbegriff könnte man es, zusammen mit anderen Details, stellen? Vielleicht können Sie aber auch besonders flüssig Theorien entwickeln, die Sie sich anhand eines Lehrbuchs erarbeitet haben, geraten jedoch ins Stocken, wenn Sie diese Theorien anwenden oder mit Beispielen illustrieren sollen? Dann halten Sie nach jedem Theorieschritt inne und fragen Sie sich: Welches konkrete Beispiel habe ich parat? In welchem Praxisfeld könnte ich diesen Schritt wie vorführen?

In dieser Phase der Prüfungsplanung sollten Sie Ihre Kompetenzen und Defizite mit sich selber – ruhig auch laut ausgesprochen! – diskutieren. Selbstgespräche können Ihre

Selbsteinschätzung fördern und Ihnen Lösungswege für schwierige Situationen zeigen.

Erinnerung an eine erfolgreiche Lernsituation

Beginnen Sie beispielsweise Ihr erstes Selbstgespräch mit der Erinnerung an eine Situation, in der Sie gut lernen konnten:

- *Was wurde von mir verlangt?*
- *Wie habe ich mich vorbereitet?*
- *Was hat mich motiviert?*
- *Was hat meine Konzentration gestärkt?*
- *Wie sah mein Arbeitsumfeld aus?*
- *Welche Menschen haben mich wie unterstützt?*
- *Welche dieser erfolgreichen Arbeitsbedingungen könnte ich mir auch jetzt schaffen?*
- *Was müsste ich dafür tun?*

Sie werden wahrscheinlich erstaunt sein, über wie viele Ressourcen für eine effektive Prüfungsvorbereitung Sie bereits verfügen!

1.3 Lernplan

Ihr Lernplan umfasst grob gesagt sechs Schritte:

Lernplan in 6 Schritten

Material sichten – Literatur lesen und markieren – Literatur auswerten und exzerpieren – Gelesenes lerngerecht aufbereiten – neues Wissen effektiv speichern – Gelerntes wiederholen.

Planen Sie jeden Lernschritt sorgfältig. Die folgende Übersicht zeigt Ihnen, wie die Lernschritte im einzelnen aussehen.

Abbildung 1: Die sechs Lernetappen

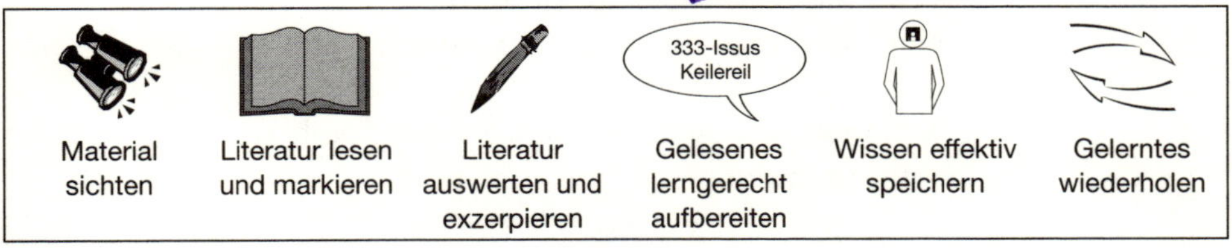

Material sichten (vgl. Kap.5):

- Legen Sie Ihr Lernziel fest: *Was will/sollte ich wissen?*
- Wählen Sie die geeignete Literatur aus: *Was muss ich wie gründlich lesen?*
- Sortieren Sie Ihr Material nach Basiswissen, Hintergrundwissen und Ergänzungswissen.

Literatur lesen und markieren (vgl. Kap.5):

- Lesen Sie zunächst die allgemeinen Texte: Hintergrundwissen
- Lesen Sie anschließend die Basistexte zu Ihrem Themenbereich
- Wählen Sie beim Lesen bereits Schwerpunkte innerhalb Ihres Themenbereichs aus
- Markieren Sie die verschiedenen Schwerpunkte/Fragestellungen mit Farben oder Symbolen.

Literatur auswerten und exzerpieren (vgl. Kap.5):

- Exzerpieren Sie das Gelesene getrennt nach Hintergrundwissen und gewählten Schwerpunkten
- Legen Sie für jeden Schwerpunkt/jede Fragestellung ein eigenes Dokument an.

Gelesenes lerngerecht aufbereiten (vgl. Kap.6):

- Konzentrieren Sie das neue Wissen durch prägnante Übersichten
- Setzen Sie unterschiedliche Ankertechniken ein.

Wissen effektiv speichern (vgl. Kap.7):

- Prägen Sie sich das neue Wissen durch unterschiedliche Lerntechniken ein
- Überprüfen Sie Ihr Wissen durch einen Lerncheck.

Gelerntes wiederholen (vgl. Kap.7):

- Wiederholen Sie Ihren Lernstoff in regelmäßigen Abständen
- Planen Sie einen letzten Schnelldurchlauf kurz vor der Prüfung ein.

Der erste Überblick über den gesamten Umfang Ihrer Prüfungsvorbereitung führt zunächst zu einem genauen Lernplan. Indem Sie umfangreiche Aufgaben in kleine Lernhappen unterteilen, strukturieren Sie Ihr Material bereits nach internen Gesichtspunkten: Welcher Schwerpunkt lässt sich gut separat bearbeiten? Welche Aspekte müssen auf jeden Fall zusammen gelernt werden? Teilen Sie die Lernaufgaben so ein, dass jeder Lernabschnitt überschaubar und in ein oder zwei Stunden zu bewältigen ist. Auf diese Weise wächst sich kein Lernabschnitt zu einer bedrohlich gigantischen Aufgabe aus, sondern jede Lerneinheit ist klar umgrenzt und machbar.

Lernhappen zubereiten

Wenn Sie viel Primärmaterial oder Forschungsliteratur verarbeiten müssen, erstellen Sie einen genauen Leseplan: Überschlagen Sie, wie lange Sie ungefähr brauchen, um eine Seite Text zu lesen. Kalkulieren Sie dann Ihre Lesezeit für die einzelnen Themengebiete. Probieren Sie anschließend an einem Beispieltext aus, wie viel Zeit Sie ungefähr für die Auswertung benötigen. Zur Auswertung gehört das Exzerpieren und anschließende Konzentrieren der Informationen durch Übersichten, Mindmaps, Denkbilder und andere Ankertechniken. Wenn Sie Lesezeit und Bearbeitungszeit ungefähr kennen, können Sie einen realistischen Zeitplan aufstellen. Planen Sie zusätzlich gesonderte Zeiten ein, die ausschließlich dem *Lernen*, das bedeutet: dem gezielten Speichern der gewonnenen Informationen, dienen.

Leseplan aufstellen

separate *Lern*zeit einplanen

Ihr gesamter Zeitplan lässt sich nur ungefähr kalkulieren, denn die Texte, die Sie bearbeiten müssen, sind unterschiedlich leicht oder schwer, schnell oder langsam zu lesen. Je nachdem, wie viel Sie schon über Ihr Themengebiet wissen, sind die einzelnen Informationen für Sie mehr oder weniger bekannt oder vollkommen neu. Entsprechend werden Sie unterschiedlich viel Zeit zur Bearbeitung brauchen. Auch die Ergänzung bereits vorhandenen Wissens um einige aktuelle Informationen braucht viel weniger Zeit als die Einarbeitung in ein weitgehend neues Themenfeld. Gehen Sie bei Ihrer Planung davon aus, dass Sie umso mehr Zeit brauchen, je weniger Vorwissen Sie haben. Sobald bereits Wissensstruk-

Lesezeit nach Vorwissen und Schwierigkeitsgrad kalkulieren

turen da sind, können Sie beim Lesen daran anknüpfen, und das bedeutet: Sie lesen und lernen schneller. Lassen Sie auf alle Fälle an jedem Tag etwas Pufferzeit, ungefähr anderthalb Stunden, frei für unvorhersehbare Verzögerungen. So kommen Sie mit Ihrem Arbeitsplan nicht unter Druck und können es sich leisten, ein besonders schwieriges Textstück auch zwei oder drei Mal zu lesen.

Pufferzeit einplanen

Es gibt grundsätzlich zwei unterschiedliche Möglichkeiten, den Lernprozess zu strukturieren: entweder Sie fangen Ihr Lernpensum des Tages mit der schwierigsten Aufgabe an und planen dafür kürzere Arbeitseinheiten ein als für die „leichte Kost", oder Sie beginnen mit einer leichten Lernaufgabe, um sich erst einmal „warm zu laufen". Einerseits erschöpft ein schwieriges Arbeitsgebiet Ihre Kräfte zwar schneller, andererseits sind Sie aber zu Beginn Ihrer Lernphase besonders ausgeruht und leistungsfähig.

Mit dem schwierigsten Lerngebiet anfangen?

Wenn Sie sich dafür entscheiden, mit Ihrem *schwierigsten* Lernthema anzufangen, setzen Sie nur eine relativ kurze Zeit (30 bis 40 Minuten) für dieses Gebiet an. Nach einer Pause „gönnen" Sie sich dann eine leichtere Lernaufgabe. Nehmen Sie sich ein schwieriges Lernthema lieber öfter in kleinen Lerneinheiten vor, denn häufig bekommt man durch wiederholte Beschäftigung mit einem Thema nach und nach von selber einen leichteren Zugang zu einem komplizierten Stoff.

schwierige Lernaufgaben öfter vornehmen

Oft neigt man dazu, ein schwieriges Lerngebiet zu meiden oder den Lernbeginn immer wieder aufzuschieben. Machen Sie sich klar, dass Sie einen schwierigen Stoff um so eher verstehen werden, je öfter Sie sich mit ihm befassen. Gewöhnen Sie sich deshalb möglichst früh daran, schwierige Lernaufgaben immer wieder anzugehen, in ganz kleinen kontinuierlichen Schritten. Bald werden Sie merken, dass Sie Tag für Tag ein bisschen mehr verstehen, bis eines Tages der Knoten platzt.

Mit dem leichtesten Lerngebiet anfangen?

Wenn Sie sich dafür entscheiden, mit einem *leichteren* Lerngebiet zu beginnen, kann diese „warm up Übung" Ihr Denken so richtig in Schwung bringen, so dass Ihnen später – nach einer Pause – auch die schwierige Lernaufgabe leichter fällt. Probieren Sie aus, welches Vorgehen für *Sie* am besten ist.

Wie Sie schon in Kapitel 2 erfahren haben, sollten Sie beim Lernen von Anfang an Prioritäten setzen: unterscheiden Sie Basiswissen von Hintergrundwissen und Detailwissen. Sorgen Sie dafür, dass Sie unbedingt genügend Zeit haben, um sich das Basiswissen für Ihr Themengebiet zu erarbeiten. Damit stellen Sie sicher, dass Sie Ihre Prüfung auf alle Fälle bestehen werden. Hintergrundwissen und vertiefendes Detailwissen lernen Sie, soweit Ihre Zeitplanung Ihnen dafür Raum lässt. Je nach dem zeitlichen Ablauf Ihrer Prüfungen haben Sie entweder genügend Spielraum, um sich in ein Arbeitsgebiet zu vertiefen, oder Sie müssen sich bei einem knappen Zeitrahmen mit einem Überblick über den Stoff und einem soliden Basiswissen in Ihrem Themenbereich zufrieden geben. Gerade wenn Sie nur wenig Zeit für Ihre Vorbereitungen haben, hängt der Erfolg Ihrer Prüfung entscheidend davon ab, ob Sie wichtiges von unwichtigem Wissen trennen und das wichtige Wissen strukturiert präsentieren können. Legen Sie zu Beginn Ihres Lernprozesses A, B und C Prioritäten fest: das A-Wissen, das Sie unbedingt brauchen, lernen Sie zuerst. Danach entscheiden Sie, ob Sie Ihre Kenntnisse noch durch B-Wissen (vertiefendes Wissen) erweitern können. Und nur, wenn genug Zeit bleibt, beziehen Sie auch noch C-Wissen (Detailwissen zu einzelnen Unterfragen) in Ihre Vorbereitung ein.

Prioritäten setzen

Basiswissen – Detailwissen

Überlegen Sie auch, in welcher *Reihenfolge* Sie Ihre Spezialgebiete am besten lernen können: vielleicht kann eine Lernetappe auf einer anderen aufbauen, auch wenn die thematischen Schwerpunkte unterschiedlich sind? Nehmen wir einmal an, Sie befassen sich im Fach Geschichte mit einer bestimmten historischen Epoche und wählen im Fach Germanistik eine literarische Bewegung in derselben Zeit. Dann bietet es sich arbeitstechnisch an, zunächst den historischen Kontext zu erarbeiten, um anschließend die literarische Bewegung in diesem Kontext zu situieren.

Lernreihenfolge

Bevor Sie mit Ihrem täglichen Lernpensum beginnen, verschaffen Sie sich einen kurzen Überblick über die aktuell anstehenden Lernaufgaben. Legen Sie danach eine Pause von etwa einer Minute ein, um diese Übersicht in Ihrem Gedächtnis zu speichern.

Überblick vor Lernbeginn

Arbeitsvorbereitung

Lernziel + Teilziel

Bereiten Sie schon am Abend vor einem Lerntag Ihr Material vor. Räumen Sie Ihren Schreibtisch auf: lassen Sie nur die Dinge in Reichweite liegen, die Sie entweder zum Arbeiten oder als positive Anregung brauchen. Legen Sie Ihre Bücher bereit, suchen Sie Fotokopien heraus, stellen Sie Ihren Karteikasten oder Hängeordner neben den Schreibtisch. Dann skizzieren Sie einen kurzen Arbeitsauftrag für den nächsten Lernabschnitt: welches Unterkapitel Ihres Spezialgebiets wollen Sie bearbeiten; welches Kapitel in welchem Buch wollen Sie lesen? Welches *Lernziel* haben Sie sich für dieses Themengebiet gesetzt und welches *Teilziel* wollen Sie heute erreichen? Formulieren Sie diesen kurzen Arbeitsauftrag schriftlich in Stichworten.

Mit diesem Arbeitsauftrag haben Sie bereits eine erste Vorstrukturierung geleistet, auf der Sie aufbauen können. Außerdem sind Sie am Ende einer Lernphase gedanklich noch gut in Ihrem Thema „drin" und überschauen leicht, was als nächstes ansteht. Und am nächsten Tag finden Sie schneller den Einstieg in die neue Lernphase. Die Anlaufzeit verkürzt sich und es kostet Sie weniger Überwindung anzufangen.

Arbeitsauftrag

Lernziel:
Geschichte der Unabhängigkeit Guatemalas

Teilziel:
Akteure

heute:
die Rolle der indigenen Bevölkerung

Quelle:
Fachbuch Kapitel 2
Seite 10 bis 40

Abbildung 2: Arbeitsauftrag

2. Arbeitsumfeld

Haben Sie schon einmal überlegt, wo Sie am besten lernen können? In der konzentrierten Arbeitsatmosphäre Ihrer Seminar- oder Universitätsbibliothek oder zu Hause? Manche

Wo kann ich am besten lernen?

Schreiber brauchen die ungestörte Ruhe der eigenen vier Wände, um sich ohne Ablenkung konzentrieren zu können, andere lassen sich dagegen gerade zu Hause am ehesten ablenken. Wenn Sie zu Hause zu vielen Ablenkungen ausgesetzt sind, packen Sie Ihre Utensilien des Tages ein und machen Sie sich zu regelmäßigen Zeiten auf zu Ihrem Arbeitsplatz in der Bibliothek. Mit oder ohne Laptop können Sie in der Bibliothek oftmals störungsfreier arbeiten als zu Hause. Auch der Blick auf die anderen Lernenden um Sie herum steigert Ihre Konzentration. Notfalls tippen Sie, wenn Sie keinen Laptop mitnehmen können, am Abend jedes Tages Ihre handgeschriebenen Zusammenfassungen in den PC ein.

Trennung von Arbeitszeit und Freizeit

Das Lernen in der Bibliothek ermöglicht Ihnen auch eine klare Trennung von Arbeitszeit und Freizeit. Zu Hause hat man in der Regel stets den Schreibtisch voller Fotokopien und Bücherstapel vor Augen und es fällt schwer, in der Freizeit wirklich abzuschalten. Wenn Sie dennoch vorwiegend zu Hause arbeiten, beenden Sie Ihren Arbeitstag auch dort durch eine deutliche Zäsur. Wenn Sie keinen vom Wohn- und Schlafbereich getrennten Arbeitsraum haben, so räumen Sie am Abend das gesamte Material, dass Sie am folgenden Tag nicht mehr brauchen werden, weg und ordnen Sie die Aufzeichnungen und Bücher für den folgenden Arbeitstag. Schließen Sie alle Bücher und Skripte, legen Sie Lesezeichen ein oder kleben Sie post-it-Merkzettel dort ein, wo Sie weiterarbeiten wollen. Schließen Sie Ihren Arbeitstag auch äußerlich sichtbar ab.

Arbeitstag sichtbar abschließen

Lernorte wechseln

Versuchen Sie auch einmal, unterschiedliche Aufgaben an unterschiedlichen Orten zu erledigen: vielleicht skizzieren Sie Ihren Arbeitsauftrag für den nächsten Tag lieber in der Küche bei einem heißen Kakao als am PC? Vielleicht kommen Ihnen die besten kreativen Ideen im Café? Wenn Sie immer am selben Platz Ihre Forschungsliteratur durcharbeiten und sich das Erarbeitete einprägen, sollten Sie für neue Entwürfe, originelle Ideen und jede Art von Brainstorming einen anderen Ort wählen. Verbinden Sie einen bestimmten Arbeitsplatz mit einer bestimmten Tätigkeit und entwickeln Sie auf diese Weise hilfreiche Gewohnheiten.

Und wie sieht Ihr täglicher Arbeitsplatz aus? Häufig lesen Sie in Ratgebern zur Arbeitsorganisation, dass auf keinen Fall irgendwelche Kleinigkeiten auf Ihrem Schreibtisch herumliegen sollten, die Sie ablenken: Urlaubserinnerungen, Fotos, Kleinkram. Das mag für manche Menschen gelten, andere dagegen brauchen eine individuelle Arbeitsumgebung. Probieren Sie selber aus, was Ihre Konzentration fördert: ein leerer Schreibtisch oder eher eine persönlich gestaltete Lernumgebung. Solange Sie ausreichend Platz für Ihre Arbeitsunterlagen haben, zählt allein *Ihre* Erfahrung, *Ihre* Motivation und Konzentration.

individuelle Arbeitsatmosphäre schaffen

Ihr Hauptarbeitsplatz sollte nicht nur angenehm, sondern auch praktisch eingerichtet sein:

praktisch eingerichteter Arbeitsplatz

- Haben Sie genug Platz für Material und Notizen?
- Haben Sie eine Pinwand für Ihre Arbeitsaufträge und Ihre langfristige Zeitplanung?
- Können Sie vielleicht vorübergehend eine Wand oder eine Tür für große Mindmaps frei machen?
- Achten Sie auch darauf, dass Ihr PC ergonomisch richtig eingerichtet ist und dass die Beleuchtung stimmt.

Manchmal hängt der Erfolg auch an Kleinigkeiten! Nehmen Sie sich als wissenschaftlich Arbeitende ernst, sorgen Sie gut für sich und schaffen Sie sich Ihre individuell besten Arbeitsbedingungen.

3. Arbeitstechnik

3.1 Lerngebiete wechseln

Achten Sie darauf, die verschiedenen Lerngebiete so zu verteilen, dass Sie sich im Laufe eines Tages möglichst unterschiedliche Stoffgebiete vornehmen. Der weit verbreitete Irrtum, *ein* einheitliches Themengebiet lasse sich am besten an einem Stück ohne Unterbrechung erschließen, führt leicht zu Ermüdung und nachlassender Konzentration. Die Konfrontation Ihres Gehirns mit unterschiedlichen Impulsen steigert dagegen Ihre Leistungsfähigkeit.

unterschiedliche Lernimpulse

Achten Sie bei der Wahl Ihrer Arbeitsgebiete auch darauf, Interferenzen zu vermeiden. Das bedeutet: sehr ähnliche Inhalte können einander stören und den Lerneffekt durch Ähnlichkeitshemmung behindern. Versuchen Sie deshalb, in Ihrem Tagespensum möglichst *unterschiedliche* Themengebiete unterzubringen: während Sie z.B. morgens die Großraumsiedlungen in Ost- und Westberlin vergleichen, analysieren Sie nachmittags zeitgenössische englische Short Stories. Dazwischen liegt eine lange erholsame Pause, in der Sie richtig abschalten und dem neuen Wissen Gelegenheit geben, sich zu setzen.

BSP

Überschneidungen vermeiden

3.2 Arbeitstechniken wechseln

Schaffen Sie aber nicht nur Abwechslung in der Wahl Ihrer Arbeitsgebiete, sondern arbeiten Sie auch mit unterschiedlichen Arbeitstechniken:

Lernbereitschaft durch unterschiedliche Arbeitstechniken steigern

- fragen
- lesen
- markieren
- notieren
- rekapitulieren
- Gedankengänge bildlich skizzieren
- vortragen
- ordnen
- Überschriften finden
- Gliederungen erstellen
- Schaubilder entwerfen
- Denkbilder schaffen.

Durch diese Strategien steigern Sie Ihre Aufnahmebereitschaft und erzielen bessere Lernergebnisse.

In Kapitel 5 und 6 erfahren Sie im einzelnen, welche Arbeitstechnik für welche Lernaufgabe am besten geeignet ist.

Beachten Sie, dass Informationen am Anfang und am Ende einer Lerneinheit besonders gut behalten werden. Nutzen Sie diese Möglichkeiten, um sich besonders schwierige Zu-

Informationen am Anfang und am Ende prägen sich besonders gut ein sammenhänge einzuprägen. Konkret bedeutet das: unterteilen Sie schwierige Lernaufgaben in möglichst viele sinnvolle kleinere Lernhappen.

3.3 PC oder Karteikarten?

Lernstoff schon beim Exzerpieren strukturieren

Für Ihre Exzerpte richten Sie am PC für jedes Themengebiet einen eigenen Ordner ein und für jede Fragestellung eine eigene Datei. So müssen Sie während des Lesens und Exzerpierens Ihren Lernstoff bereits strukturieren. Bevor Sie Ihre Ergebnisse für das eigentliche Lernen und Wiederholen aufbereiten, drucken Sie Ihre Exzerpte aus. Dann erstellen Sie aus diesen Exzerpten ein Konzentrat als Mindmap, freie Graphik oder als Übersicht auf einer Karteikarte. Wie Sie hierbei im einzelnen vorgehen, erfahren Sie in Kapitel 5 und 6.

PC Dokument und Ringbuch anlegen

Legen Sie für jedes Prüfungsfach nicht nur spezielle PC Ordner an, sondern auch ein eigenes Ringbuch. Jedes Ringbuch wird durch ein farbiges Register in verschiedene Themengebiete unterteilt. Im Ringbuch sammeln Sie Ihre ausgedruckten Exzerpte und Übersichten, Fotokopien, Bildmaterial und eigene handschriftliche Notizen (Einfälle, Fragen, Literaturhinweise, einzelne gelungene Formulierungen, Gliederungsentwürfe).

Karteikarten dienen dagegen in erster Linie der *Materialverwaltung*. Halten Sie auf Karteikarten fest, welche Forschungsliteratur Sie gelesen oder durchgesehen haben: notieren Sie den vollständigen Titel, Verfasser, Erscheinungsort und Erscheinungsjahr. Sobald Sie ein Buch oder einen Aufsatz ganz oder teilweise gelesen haben, schreiben Sie auf, welche Teile Sie exzerpiert haben, welche Sie fotokopiert haben

Abbildung 3: Karteikarte

und welche Teile Sie eventuell später ergänzend lesen möchten, wenn Sie noch genügend Zeit haben.

Karteikarten zur Materialverwaltung

Neben der Materialverwaltung dienen Karteikarten auch der *Wiederholung* des Lernstoffs. Allerdings kann man sie nur für sehr knappe Übersichten sinnvoll nutzen. Sobald Ihre Zusammenfassungen nämlich mehr als eine Karteikarte füllen, lassen sich die Informationen nicht mehr mit einem Blick überschauen. Für die Arbeit mit der Lernkartei (vgl. Kap.7) aber sind solche Konzentrate (Mindmaps, Graphiken, Übersichten) durchaus geeignet.

Karteikarten für die Lernkartei

Rückblick

Wählen Sie Ihre Prüfer rechtzeitig und informieren Sie sich über ihre fachlichen Schwerpunkte und ihren Kommunikationsstil. Werden Sie sich über Ihre eigenen Kompetenzen und Defizite klar und nutzen Sie Ihre Ressourcen. Planen Sie überschaubare Lernetappen und setzen Sie sich konkrete Teilziele. Finden Sie heraus, an welchen Arbeitsorten Sie am effektivsten lernen können und gestalten Sie Ihre Arbeitsumgebung praktisch und anregend zugleich. Wechseln Sie Ihre Lerngebiete und Arbeitstechniken. Nutzen Sie Ihren PC für ausführliche Exzerpte, Karteikarten dagegen zur Materialverwaltung und für knappe Ergebnisübersichten.

Kapitel 4
Zeitplanung

Zeitplanung

1. Lernetappen
- Wissensaneignung, Wiederholung
- Check-up und Pufferzeit

2. Arbeitszeiten
- Jobmentalität
- Pausen
- Zeitlimit

3. Bilanz ziehen

4. Zeitplanung – für und wider

Eine solide realistische Zeitplanung erspart Ihnen viel Stress und Frustration. Planen Sie Ihre Vorbereitungszeit sorgfältig und in Ruhe – der Aufwand lohnt sich.

1. Lernetappen

Gehen Sie in Ihrer Zeitkalkulation immer vom Prüfungstermin aus und teilen Sie die verfügbare Zeit in Lernetappen ein:

- Wie viel Zeit haben Sie insgesamt?
- An welchen Tagen der Woche können Sie bestimmt *nicht* für Ihre Prüfungen lernen (Job, Kolloquien/Übungen für Examenskandidaten, andere Verpflichtungen)?
- Welche Tage halten Sie sich für Ihre Erholung frei?

Jetzt verteilen Sie den Prüfungsstoff nach ungefährer Schätzung auf die verbleibende Zeit. Teilen Sie zunächst Ihre gesamte Lernzeit in fünf Blöcke: eine lange Phase, um Wissen 5 Lernblöcke aufzunehmen, es lerngerecht zu verankern und zu speichern, eine kürzere, um das Gelernte zu wiederholen, eine Phase von wenigen Tagen für den letzten Check-up und einige Tage Pufferzeit für unvorhersehbare Störungen sowie einen ganzen unverplanten Tag vor jeder Prüfung. Mit etwas Pufferzeit im Rücken arbeiten Sie ruhiger. Planen Sie auch mindestens noch jeweils einen freien Tag für die Erholung zwischen den abgelegten Prüfungen ein.

Abbildung 1: Lernblöcke

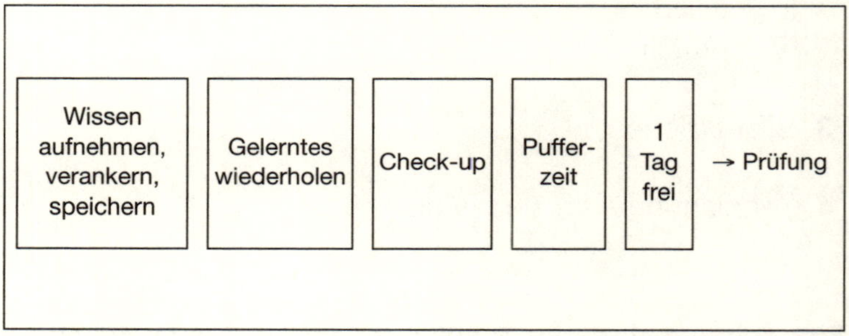

Zeitschema skizzieren

Das Zeitschema für Ihren Lernplan könnte beispielsweise bei 3 Monaten Vorbereitungszeit ungefähr so aussehen wie in Abbildung 2.

Abbildung 2: Lernplan

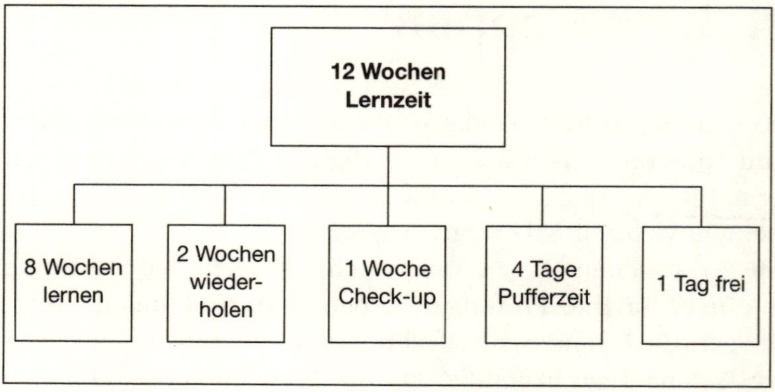

Wenn Sie mehr oder weniger Vorbereitungszeit zur Verfügung haben, planen Sie Ihre Lernphasen entsprechend. Die Pufferzeit und die Zeit für den Check-up sollten Sie möglichst nicht verändern, die Phasen der Wissensaneignung und der Wiederholung können Sie dagegen beliebig Ihrem Stoff und Ihrem Zeitbudget anpassen.

2. Arbeitszeiten

2.1 Jobmentalität

Sobald Sie wissen, wie viele Tage Sie für welches Prüfungsgebiet ungefähr zur Verfügung haben, stellen Sie einen Wochenplan auf: Tragen Sie für jeden Ihrer Arbeitstage feste Arbeitszeiten ein. Diese Zeiten müssen nicht an jedem Tag gleich sein, nur sollten die Wochentage jeweils die gleiche Struktur haben. Wenn Sie also montags von 10 bis 13 Uhr und von 16 bis 19 Uhr lernen wollen und dienstags von 9 bis 12 Uhr und von 17 bis 20 Uhr, dann sollten Sie diese Zeiten an *jedem* Montag und an *jedem* Dienstag genau so einhalten. Damit schaffen Sie die Regelmäßigkeit, die nach kurzer Zeit zur guten Gewohnheit wird. Stellen Sie sich während Ihrer Prüfungsvorbereitung darauf ein, wie ein Arbeitnehmer feste Arbeitszeiten verbindlich einzuhalten. Ihre Vorbereitung auf die Prüfung ist jetzt für wenige Monate Ihr wichtigster *Job*: Sie können Ihre Arbeitszeiten frei wählen, aber Sie müssen zu den festgelegten Zeiten pünktlich und regelmäßig erscheinen. Diese *Jobmentalität* erspart Ihnen die täglichen Diskussionen mit Ihrem inneren Schweinehund und schützt Sie wirkungsvoll vor dem ewigen Aufschieben.

gleitende Arbeitszeit

Vielleicht verabreden Sie sich mit einem Freund/einer Freundin, legen gemeinsame Arbeitszeiten fest und tauschen regelmäßig Ihre Erfahrungen aus: So fällt es Ihnen leichter, sich an den festgelegten Arbeitsplan zu halten.

Verbindlichkeit schaffen

2.2 Pausen

mehrere kleine Pausen

Zwischen Ihren einzelnen Lerneinheiten von ungefähr 30 bis 40 Minuten sollten Sie immer eine kleine Pause von 5 Minuten einplanen. Unterbrechen Sie Ihre Arbeit auf jeden Fall immer auch für einige Minuten, bevor Sie von einem Themenbereich zu einem anderen wechseln. Sie vermeiden auf diese Weise Überlagerungen beim Abspeichern Ihres Wissens.

Pause *bevor* die Kräfte nachlassen

Nach spätestens 90 Minuten ist eine Pause von mindestens 15 Minuten angesagt. Finden Sie selber heraus, wann sich bei Ihnen erste Erschöpfungszeichen bemerkbar machen. Arbeiten Sie niemals bis zur Erschöpfung, bevor Sie sich eine Pause gönnen, sondern planen Sie Ihre Erholungsphasen ebenso ernsthaft wie Ihre Arbeitszeiten. Sie erholen sich dann viel schneller und sparen insgesamt Zeit und Energie. Wenn Ihre Konzentration nach ungefähr 60 bis 90 Minuten nachlässt, unterbrechen Sie Ihre Arbeit und verbringen Sie die freie Zeit mit einer Tätigkeit, die sich markant von Ihrer Lernarbeit unterscheidet. Schalten Sie richtig ab: hören Sie Musik, machen Sie einen kurzen Spaziergang oder nur ein paar Dehnübungen am offenen Fenster oder gönnen Sie sich eine kleine Zwischenmahlzeit. Erledigen Sie in diesen Pausen keine sonstigen Arbeiten. Führen Sie keine Telefongespräche, schreiben Sie keine Emails. Lassen Sie sich durch keine Außenreize ablenken: versuchen Sie wirklich nur, durchzuatmen und sich zu entspannen. Verhindern Sie unbedingt eine andauernde und bis in die Pause hineinreichende Beschäftigung mit Ihrem Lernstoff: Ihr Gedächtnis braucht ungestörte Zeiten, um das Gelernte zu verarbeiten.

abschalten!

Nach drei oder vier Stunden Lernzeit gönnen Sie sich eine Erholungspause von ein bis drei Stunden, die Sie auch in Ihren Arbeitsplan eintragen sollten (vielleicht markiert in Ihrer Lieblingsfarbe?). Halten Sie diese Pausen unbedingt ein. Insgesamt sollte Ihre Lernzeit das Limit von ungefähr 6 Stunden pro Tag nicht überschreiten. Nach dieser Zeit sinkt die Leistungsbereitschaft markant ab, so dass Sie viel mehr Zeit für ein insgesamt geringeres Lernergebnis aufwenden müssten.

Abbildung 3: Dreistündige Lerneinheit mit Pausen

2.3 Zeitlimit

Setzen Sie zu Beginn einer Arbeitseinheit immer eine begrenzte Zeit für ein bestimmtes Thema fest und halten Sie dieses Zeitlimit möglichst ein. Befassen Sie sich z.B. am Vormittag drei Stunden – unterbrochen durch Pausen – mit Ihrem Thema A und wechseln Sie am Nachmittag für drei Stunden zu Thema B. Setzen Sie dabei lieber kleinere Arbeitseinheiten von 30 oder 40 Minuten als Marathonsitzungen von mehreren Stunden an: „weniger aber öfter" sollte Ihre Devise lauten.

mehrere kleine Arbeitseinheiten

Wie Sie schon aus Kapitel 2 wissen, kann Ihnen das Zeitlimit auch helfen, vorübergehende Motivationstiefs zu überwinden. Sagen Sie sich vor einer neuen oder schwierigen Arbeitseinheit: *Ich habe genau eine halbe Stunde Zeit, um mir darüber klar zu werden, worum es in diesem Buch geht. Danach entscheide ich, ob ich es gründlich lesen will oder nicht.* Nach dieser Vororientierung fällt es Ihnen bestimmt leichter, sich das Buch anschließend gründlich Schritt für Schritt zu erarbeiten. Sie haben sich nämlich bereits mit dem Gegenstand vertraut gemacht, haben einen Überblick gewonnen und festgestellt, wofür Sie das Buch ganz oder teilweise nutzen können.

Zeitlimit wirkt motivierend

3. Bilanz ziehen

Ziehen Sie auch bei großem Zeitdruck immer Bilanz! Fragen Sie sich: *Was habe ich erreicht in der festgesetzten Zeit? Was nicht? Warum nicht? Was kann ich wie ändern?*

Erfolgsrituale

Machen Sie Ihre Erfolge sichtbar, indem Sie erreichte Aufgaben in Ihrem Arbeitsplan abstreichen. Entwickeln Sie ein eigenes Ritual für Ihre Erfolgsbilanz am Ende eines Arbeitstages: legen Sie Ihre Lieblingsmusik auf, essen oder trinken Sie eine leckere Kleinigkeit und streichen Sie genüsslich mit einem dicken Filzschreiber die bewältigte Aufgabe ab. Sie können die anstehenden Lernaufgaben auch auf einzelnen Zetteln notieren, die Sie an eine große Pinwand heften. Dann nehmen Sie nach jeder erledigten Aufgabe einen Zettel ab und sehen mit Genugtuung, wie die Zettel immer weniger werden.

Haben Sie Ihren Arbeitsplan erfüllt, belohnen Sie sich. Sind Sie wesentlich hinter Ihrem Plan zurückgeblieben, überprü-

Abbildung 4: Schwankungen der physiologischen Leistungsbereitschaft

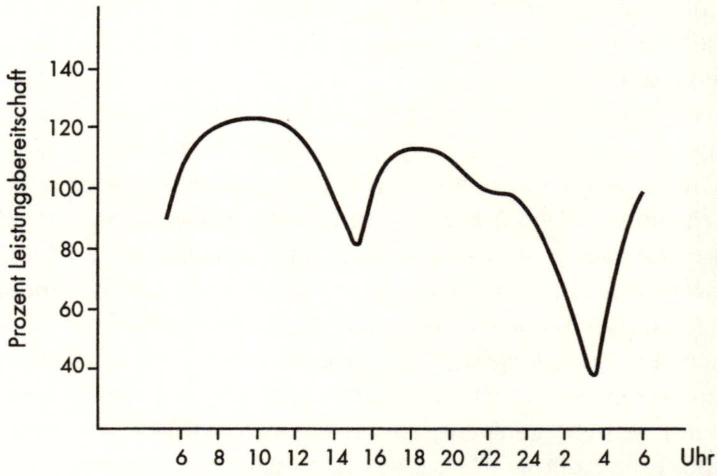

Schwankungen der physiologischen Leistungsbereitschaft über 24 Stunden (nach O. Graf)

fen Sie Ihre Arbeitsbedingungen, sprechen Sie mit anderen darüber, versuchen Sie, soviel wie möglich aus den Erfahrungen anderer Prüflinge zu lernen, und ändern Sie unter Umständen Ihren Zeitplan.

Arbeitsbedingungen überprüfen

Vielleicht haben Sie für Ihr Lernen einfach nur die falsche Tageszeit gewählt? Die meisten Menschen sind ungefähr zwischen 8 und 12 Uhr am Vormittag und zwischen 16 und 20 Uhr am Nachmittag/Abend am leistungsfähigsten (vgl. Abb. 4).

Arbeitszeiten überprüfen

Überprüfen Sie Ihre Arbeitszeiten und probieren Sie eventuell andere Arbeitsrhythmen aus. Sollten Sie allerdings wiederholt feststellen, dass Ihre individuellen Leistungshochs vom hier skizzierten Schema abweichen, vertrauen Sie in erster Linie Ihrem individuellen Rhythmus.

eigene Leistungsbereitschaft erforschen

4. Zeitplanung – für und wider

Vielleicht sagen Sie jetzt: „Das klingt ja alles schön und gut, aber für *mich* ist das nichts!“ Lassen Sie uns gemeinsam überlegen, warum Sie sich möglicherweise gegen eine solide Zeitplanung wehren:

Widerstände gegen Zeitplanung

1. Vielleicht *wollen* Sie Ihr Arbeitsverhalten gar nicht wirklich ändern? Vielleicht haben Sie sich immer irgendwie so durchgewurstelt, und entscheiden sich jetzt dafür, auch weiterhin so zu arbeiten, unter Druck und immer mit der Angst im Nacken, es nicht rechtzeitig zu schaffen?
2. Vielleicht hat sich Ihr Vermeidungsverhalten kurzfristig durchaus „bezahlt“ gemacht? Sie haben sich erfolgreich vor unangenehmen Arbeiten gedrückt.
3. Vielleicht denken Sie, Zeitplanung sei für andere eine gute Sache, *Sie* selber aber könnten auch so gut zurechtkommen?
4. Vielleicht können Sie sich einfach nicht disziplinieren und wissen schon jetzt, dass Sie Ihren Arbeitsplan nie erfüllen würden?

5. Vielleicht glauben Sie, dass Sie nur arbeiten können, wenn Sie in der rechten Stimmung dafür sind? Ein Zeitplan zwingt Sie aber, in *jeder* Stimmung zu arbeiten.
6. Vielleicht trauen Sie sich nicht zu, Ihren eigenen Arbeitsaufwand realistisch einzuschätzen und fürchten deshalb, dass Ihre Zeitplanung ein Misserfolg wird?
7. Vielleicht schrecken Sie davor zurück, Ihr Leben so rigoros von heute auf morgen zu verändern?

Strategien, um eigene Widerstände zu überwinden

Was tun?

1. Warten Sie einfach, bis der „Leidensdruck" stark genug wird und Sie *wirklich* etwas ändern wollen.
2. Finden Sie heraus, was Ihre Arbeitsaufgabe so unangenehm macht, dass Sie sie vor sich herschieben müssen: Erwarten Sie zu viel von sich selber? Fürchten Sie sich vor einem Fehlschlag? Fühlen Sie sich der Prüfungssituation hilflos ausgeliefert?
   Setzen Sie sich ein *erreichbares* Ziel. Überlegen Sie, was schlimmstenfalls passieren könnte und wie Sie auf einen Fehlschlag reagieren könnten. Versuchen Sie, so viel Informationen wie möglich über die Prüfung zu sammeln, und entwickeln Sie Strategien, Ihre Prüfung aktiv mit zu gestalten.
3. Fragen Sie sich, ob Ihr Arbeitsverhalten effektiver sein könnte und seien Sie neugierig auf jede neue Anregung. Sehen Sie Ihren Zeitplan als Experiment: wenn das Experiment gelingt, haben Sie Ihre Kompetenzen erweitert und können Ihre neuen Fähigkeiten nach Belieben einsetzen.
4. Beginnen Sie mit ganz kleinen Arbeitseinheiten und geringen Anforderungen. Steigern Sie Ihre Leistungsfähigkeit langsam. Planen Sie zunächst in größeren Einheiten (eine Woche), um anfangs genügend Spielraum für spontanes Umplanen zu lassen. Sie fühlen sich dann weniger eingeschränkt, sind allerdings zugleich dafür verantwortlich, dass Ihre Wochenbilanz stimmt. Wichtig ist zunächst nur, dass Sie sich überhaupt erst einmal an ein planvolles Arbeiten gewöhnen. Später gehen Sie zur Planung jedes einzelnen Arbeitstages über.

5. Erinnern Sie sich, unter welchen Bedingungen Sie gut arbeiten konnten und versuchen Sie, möglichst vergleichbare Rahmenbedingungen zu schaffen. Vielleicht genügt es auch, ein wirkungsvolles Ritual aus früheren Arbeitsphasen zu übernehmen und so an vergangene Erfolge anzuknüpfen.
6. Sprechen Sie mit anderen Lernern über Ihren Zeitplan. Planen Sie mehr Pufferzeiten in Ihren Arbeitsablauf ein. Betrachten Sie den Zeitplan als Geländer, das Ihr Lernen stützt, nicht als Zwangsjacke!
7. Verändern Sie erst einmal gar nichts. Beobachten Sie nur eine Woche lang, wie viel Zeit Sie für welche Tätigkeiten verwenden. Führen Sie ein genaues Zeittagebuch. Notieren Sie genau Ihre Zeitfresser. In der zweiten Woche versuchen Sie, einen Teil Ihres Arbeitstages zu planen und einige Zeitfresser auszuschalten. Sie können statt genau festgelegter Arbeitszeiten zunächst auch erst einmal verschiedene Zeitfenster einrichten und innerhalb dieser Zeiträume Ihre Lernphasen frei wählen. Wenn Sie etwa am Vormittag 1,5 Stunden lernen wollen, öffnen Sie ein Zeitfenster von 9 bis 12 Uhr und beginnen irgendwann zwischen 9 und 10.30 Uhr.

Verändern Sie Ihr Arbeitsverhalten langsam in lauter kleinen Schritten. Lassen Sie sich für jeden Schritt genug Zeit. Schlechte Angewohnheiten verschwinden nicht von heute auf morgen, aber sie lassen sich mit „Geduld und Spucke" überwinden.

Arbeitsverhalten Schritt für Schritt ändern

Rückblick

Planen Sie Ihre Lernetappen vom Prüfungstermin her: Wissensaneignung, Wiederholen, Check-up und Pufferzeit. Legen Sie regelmäßige Arbeitszeiten fest und optimieren Sie durch gezielte Pausen Ihre Lernleistung. Setzen Sie sich ein Zeitlimit für Ihre Lernaufgaben, um zielgerichteter zu arbeiten. Ziehen Sie immer wieder Bilanz und überprüfen Sie Ihren Arbeitsrhythmus. Wenn Sie sich innerlich gegen eine effektive Zeitplanung sträuben, versuchen Sie herauszufinden, warum und entwickeln Sie wirkungsvolle Gegenstrategien.

Kapitel 5

Wissen aufnehmen

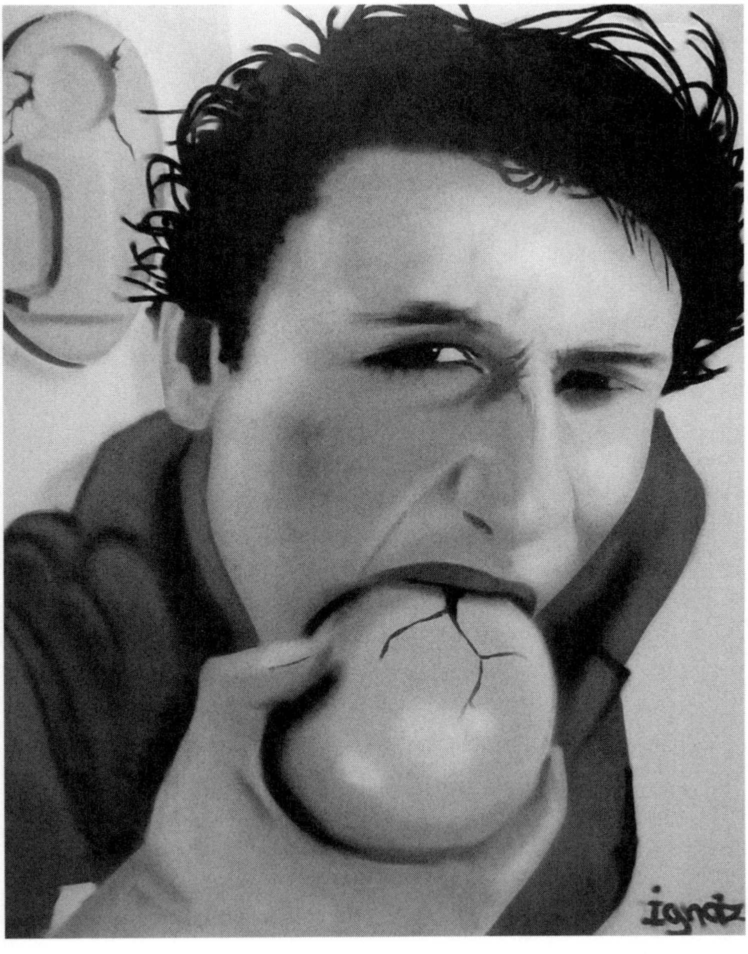

Wissen aufnehmen

1. Den Lernprozess planen
- Lerntypen
- Lernkanäle

2. Prüfungsthemen wählen
- Themengebiete nicht zu eng wählen
- Themen verbinden
- vertraute Themengebiete

3. Umgang mit Forschungsliteratur
- Welche Literatur wann lesen?
- Wie lesen?
- Strukturskizzen
- Wie wiedergeben?

Studenten, die nach Plan lernen, erzielen bessere Ergebnisse. Deshalb lohnt es sich für Sie, Ihren Lernprozess sorgfältig zu planen. Entdecken Sie Lernwege und Lernkanäle und wählen Sie Ihre Themengebiete nach prüfungsrelevanten Gesichtspunkten aus. Sichten Sie die Forschungsliteratur sorgfältig nach Vorwissen und Verwendungszweck und entwickeln Sie effektive Techniken zur Literaturauswertung.

Dieses Kapitel bietet Ihnen für jeden dieser Schritte praktische Tipps an, die Sie ohne Vorwissen sofort umsetzen können.

1. Den Lernprozess planen

Welcher Lerntyp bin ich?

Zur effizienten Planung Ihres Lernprozesses gehört neben einer soliden Zeiteinteilung die Entscheidung für einen bestimmten Lernweg, der Ihnen das Lernen erleichtert. Bevor Sie sich aber für *Ihren* Lernweg entscheiden, sollten Sie zunächst herausfinden, welcher Lerntyp Sie eigentlich sind. Sicherlich haben Sie selber schon erfahren, dass Menschen auf verschiedene Impulse unterschiedlich stark reagieren: während die einen sich nur das wirklich gut merken können, was sie schwarz auf weiß gelesen haben, schwören andere auf Gehörtes, erinnern sich sogar an einzelne Formulierungen und den Tonfall des Redners. Wieder andere setzen Gesten ein, um ihrer Erinnerung nachzuhelfen. Während die einen anhand einer Graphik sofort den Kern eines Problems erkennen, lesen andere sich Fragestellung und Fakten erst einmal laut vor. Wieder andere rekonstruieren zunächst den Handlungszusammenhang, in den das Problem gehört.

Wie funktioniert mein Gedächtnis?

Überlegen Sie einmal, welche Erinnerungen *Sie* im Alltag spontan zuerst abrufen: sehen Sie, wenn Sie sich eine vergangene Szene vergegenwärtigen, zuerst Bilder oder hören Sie zuerst Gesprächsfetzen? Erinnern Sie sich genau an Zeit und Ort oder sehen Sie die beteiligten Personen in Aktion? Rufen Sie sich spontan die ganze Szene im Überblick ins Gedächtnis oder fallen Ihnen zunächst eher Details ein?

visueller, auditiver, kinästhetischer Lerntyp

Und auf welche Weise erinnern Sie sich an Ihren Lernstoff? Fallen Ihnen zuerst Tabellen und Statistiken ein oder hören Sie Ihren Dozenten in der Vorlesung über den Lehrstoff sprechen? Sehen Sie die Seite Ihres Lehrbuchs vor sich oder erinnern Sie sich an eine anschauliche, vielleicht sogar lustige Episode?

Offensichtlich gibt es ganz unterschiedliche Lerntypen:

Der visuelle Typ spricht auf Gelesenes, auf Bilder und Übersichten am besten an.

Der auditive Typ bevorzugt Gehörtes.

Der kinästhetische Typ setzt abstrakte Zusammenhänge gern in Bewegungen und Handlungszusammenhänge um und stützt seine Erinnerung durch Aufschreiben.

Allerdings sind diese Typen keineswegs festgelegt: Lerngewohnheiten kann man ändern und neue Lernmuster lassen sich trainieren. Lerntypen bezeichnen hier also nur vorherrschende Lerngewohnheiten.

Innerhalb der einzelnen Lerntypen gibt es unterschiedliche Vorlieben: so bevorzugen manche visuelle Lerner logisch gegliederte Texte mit griffigen Formulierungen, andere prägen sich Bilder und Skizzen besser ein. Das liegt, wie wir heute wissen, an den unterschiedlichen Aufgaben der rechten und linken Gehirnhälfte. Diese beiden Hemisphären steuern nicht nur die Bewegungen der jeweils entgegengesetzten Körperseite, sondern verarbeiten auch Informationen unterschiedlich. Während die linke Gehirnhälfte überwiegend für Sprache und logische Verknüpfungen zuständig ist, produziert die rechte Gehirnhälfte vorwiegend Bilder und Gefühle. Die linke Hemisphäre leistet also rationale Analysen und verfährt dabei nach „gelernten" Gesetzmäßigkeiten Schritt für Schritt, während die rechte die spontanen kreativen Prozesse steuert und zugleich Anschauung und Überblick garantiert. Obwohl beide Hemisphären, verbunden durch die „Brücke" des Corpus Callosum zusammenarbeiten, unterscheiden sie sich also in ihren Aktivitäten. Und je nachdem, welche Gehirnhälfte gerade aktiver arbeitet, werden Informationen leichter durch abstraktes Denken oder durch bildgestützte Verfahren aufgenommen und verarbeitet.

Arbeitsteilung der beiden Hemisphären

Die unterschiedlichen Lerntypen sind wie gesagt nicht ein für allemal festgelegt. Wenn Sie Ihr Lernverhalten beobachten,

Abbildung 1: Linke und rechte Hemisphäre

Linke Hemisphäre	*Rechte Hemisphäre*
verarbeitet Informationen nacheinander	verarbeitet Informationen gleichzeitig
sieht Ursache und Wirkung	sieht Entsprechungen und Ähnlichkeiten
denkt linear	denkt bildhaft
zerlegt: wichtig sind Unterscheidungen	fügt zusammen: wichtig sind Verbindungen
kann komplexe Bewegungsfolgen erinnern	kann komplexe Bilder erinnern
Begriffliches Denken	*Bildliches Denken*

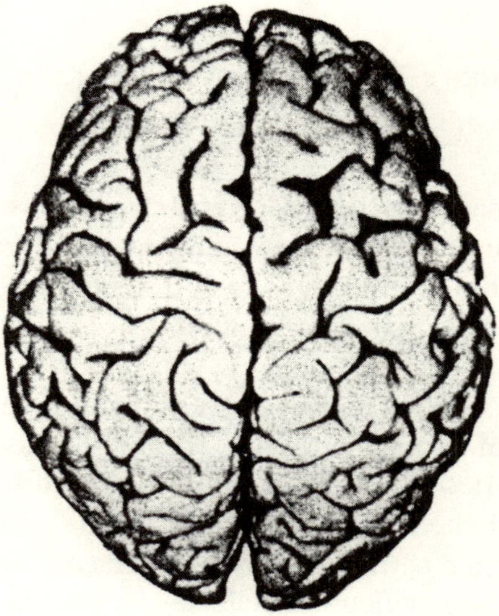

neue Lernkanäle ausprobieren

werden Sie schnell herausfinden, welcher Zugang Ihnen am leichtesten fällt. Diesen „Lernkanal“ sollten Sie zunächst bevorzugt nutzen. Aber gewöhnen Sie sich nach und nach daran, auch die anderen Lernkanäle verstärkt zu aktivieren. Wenn Sie also bisher vorwiegend mit Stichworten, Merklisten und Formeln gearbeitet haben, versuchen Sie hin und wieder, Schaubilder anzufertigen, Mindmaps zu skizzieren oder ausgefallene „Denkfotos“ zu entwerfen, um sich schwierige Zusammenhänge besser einzuprägen. Wenn Sie Ihr Wissen dagegen bislang überwiegend durch Schaubilder und Übersichten strukturiert haben, versuchen Sie nun, klare Kategorien und treffende Oberbegriffe in diese Übersichten einzufügen, Formeln zu benutzen und anhand eines roten Fadens Stichworte für eine fortlaufende Argumentation zu entwickeln.

Probieren Sie neben dem visuellen auch andere Lernkanäle aus:

- verbinden Sie Jahreszahlen mit Merkversen („753 – Rom schlüpft aus dem Ei"),
- historische Entwicklungen mit Gesten („Aufstieg und Fall des römischen Reiches"),
- Vokabeln mit Tönen (Steigerungsformen der Adjektive mit aufsteigender Melodie „singen": „bonus – melior – optimus"),
- Theorien mit Melodien (lassen Sie beim Lernen verschiedener Theorien leise unterschiedliche Musikstücke im Hintergrund laufen. Sie werden sich bei einem möglichen „Blackout" auf dem Weg über die Musik sofort an die gesuchte Theorie erinnern),
- logische Verknüpfungen mit leichten Körperbewegungen („einerseits – andererseits").

Diese spielerischen Zugänge unterbrechen nicht nur lustvoll Ihren Lernalltag, sondern sie bahnen zugleich vielfältige Wege, um Informationen zu speichern und zu verarbeiten. Wenn Sie verschiedenartige Zugänge und Verarbeitungsweisen trainieren, nehmen Sie das Wissen leichter auf und machen es sich gründlicher verfügbar. Deshalb sollten Sie vor allem schwierige Zusammenhänge immer über mehrere Kanäle einspeisen und so mehrfach verankern. Beispiele für die Nutzung unterschiedlicher Lernkanäle finden Sie in Kapitel 6.

Schwieriges mehrfach verankern

Bei Ihrer Wissensverarbeitung kommt es natürlich immer auch darauf an, wofür Sie dieses Wissen brauchen: müssen Sie Fakten im Kopf haben (Jahreszahlen, Statistiken, Vokabeln), müssen Sie komplexe Zusammenhänge möglichst fehlerfrei reproduzieren können oder müssen Sie Gelerntes selbstständig umstrukturieren, um es aufgabenbezogen wiedergeben zu können? Jedes Ziel erforderte eine eigene Lernstrategie.

Welche Lernstrategie für welches Wissen?

Sie werden in diesem Buch verschiedene Lernstrategien für unterschiedliche Aufgaben und Ziele kennen lernen. *Ihre* Aufgabe ist es dann, die Strategie zu entdecken, die für Ihr Lernvorhaben und Ihren Lerntyp optimal ist.

Wenn Sie sich neues Wissen erarbeitet haben, bedeutet das noch lange nicht, dass Sie es auch jederzeit abrufen können. Forschung lesen, exzerpieren, Karteikarten anlegen: das alles sind wichtige und notwendige Vorarbeiten für das Lernen. Das eigentliche *Lernen* aber ist ein eigener Prozess, in dem Sie das neue Wissen speichern. Deshalb sollten Sie die Erarbeitung von Wissen einerseits und das Einprägen andererseits bewusst voneinander trennen. Beide Prozesse erfordern eigene Anstrengungen und eigene Strategien. Allerdings bereitet ein selbstständig und sorgfältig erarbeitetes Wissen Ihr Gedächtnis bereits optimal auf das Lernen, Behalten und Reproduzieren vor.

Wissen erarbeiten und Wissen speichern unterscheiden

Doch zunächst müssen Sie sich das nötige Wissen erst einmal zugänglich machen: Literatur auswählen, Texte lesen und verstehen, Gelesenes exzerpieren und das gesammelte Wissen anschließend effektiv für das eigene Lernen aufbereiten.

2. Prüfungsthemen wählen

Die Aufnahme von Wissen beginnt für Sie ganz konkret mit der Wahl der Prüfungsthemen. In manchen Prüfungsfächern können Sie selber Spezialgebiete wählen und Schwerpunkte setzen. Versuchen Sie, Ihre Themengebiete klar zu umgrenzen, sie möglichst zueinander in Beziehung zu setzen und für jeden Themenbereich einen Aspekt zu finden, der Sie persönlich interessiert.

Sobald Sie ein wenig in ein Themengebiet eingearbeitet sind, können Sie ungefähr abschätzen, wie umfangreich Ihr Spezialgebiet ist. Achten Sie darauf, dass Ihre Themengebiete in etwa gleich viel Arbeitsaufwand erfordern. Der Arbeitsaufwand lässt sich natürlich nicht allein am Umfang der Gebiete bemessen; vielmehr ist es für Ihre Arbeitsplanung entscheidend, wie viel Vorwissen Sie schon mitbringen und wie leicht oder wie schwer Ihnen der Lernstoff fällt. Kalkulieren Sie diese Faktoren bei Ihrer langfristigen Examensplanung bereits mit ein.

Arbeitsaufwand kalkulieren

Überlegen Sie auch, welches Spezialgebiet sich eher für eine Klausur eignet und welches Sie sich gut für ein Prüfungsgespräch vorstellen könnten. Vielleicht haben Sie das Glück, selber wählen zu können, welches Thema Sie in einer Klausur *schriftlich* bearbeiten wollen und welches Themengebiet Sie für die *mündliche* Prüfung angeben. Dann reservieren Sie Themen, die zu kontroversen Diskussionen herausfordern, möglichst für die mündliche Prüfung. Hier können Sie Ihr Wissen in pro und kontra lebendig einsetzen und selber dazu beitragen, die mündliche Prüfung in ein spannendes Expertengespräch zu verwandeln. Themen, die detaillierte, eventuell textgestützte Analysen und gründliche Argumentation verlangen, sollten Sie dagegen lieber in der Klausur bearbeiten. Hier können Sie ungestört entscheiden, welche Textpassagen Sie genauer interpretieren wollen, wie Sie Ihre Argumentation schlüssig aufbauen und welche Aspekte Sie näher ausführen.

kontroverse Themen für die mündliche Prüfung

textgestützte Themen/ausführliche Argumentationen für die Klausuren

2.1 Themengebiete nicht zu eng wählen

Die meisten Prüflinge versuchen verständlicherweise, sich mit möglichst geringem Arbeitsaufwand auf Ihre Prüfungen vorzubereiten. Allerdings tun Sie sich selber letztlich keinen Gefallen, wenn Sie Ihre Themengebiete erkennbar eng fassen, um so die Lektüre überschaubar zu halten. So sinnvoll eine ökonomische Arbeitsplanung ist, so ungünstig ist die allzu enge Eingrenzung der Themenbereiche. Erwecken Sie nicht von vornherein durch eine äußerst sparsame Themenauswahl den Eindruck, Sie könnten oder wollten sich für Ihre Prüfung nicht anstrengen. Geben Sie lieber ein etwas weiter gefasstes Spezialgebiet an, mit dem Sie „punkten" können, und setzen Sie innerhalb dieses Themengebietes dann ausgewählte Schwerpunkte.

Schwerpunkte setzen

Eine nicht zu enge Eingrenzung der Themengebiete empfiehlt sich aus zwei Gründen:

1. Sie müssen Ihr Thema, selbst wenn es eng gefasst ist, sowieso jederzeit in einen übergeordneten Zusammenhang stellen können: Sie müssen damit rechnen, dass Sie aufgefordert

Thema in Forschungszusammenhang einordnen, Hintergründe einbeziehen

werden, Bezüge zwischen Ihrem ganz speziellen Thema und dem Forschungskontext, in dem es steht, herzustellen. Sie müssen erläutern können, in wiefern ein von Ihnen gewähltes Beispiel etwa für eine Theorie, eine Epoche, eine Problematik typisch ist. Das bedeutet: Sie werden sich in jedem Fall mit den Hintergründen und Forschungszusammenhängen Ihres Themas vertraut machen müssen.

Gehen Sie deshalb gleich einen Schritt weiter und formulieren Sie Ihr Themengebiet von vornherein ein wenig umfassender.

exemplarisch arbeiten

2. Mit einer umfassenderen Themenwahl zeigen Sie, dass Sie Zusammenhänge herstellen können und dass Sie in der Lage sind, exemplarisch zu arbeiten. Dies aber ist genau die Fähigkeit, die Sie – unter anderen – in Ihren Prüfungen unter Beweis stellen sollen.

Beispiele für Themenwahl

Beispiel: Wahlsysteme in Europa. Schwerpunkt: Deutschland und Frankreich.

Beispiel: Kommunikationstheorien. Schwerpunkt: Kommunikation in Gruppen.

Welche Absprachen sind möglich?

Wie genau Sie jeweils Ihre Schwerpunkte festlegen können, hängt individuell von der Absprache mit Ihren Prüfern ab. Manche Prüfer akzeptieren lediglich bestimmte Texte, Theorien, Phänomene als Prüfungsschwerpunkte, andere lassen die Prüflinge zusätzlich Aspekte angeben, unter denen sie ihr Material bearbeitet haben. So kann der Prüfling im Einzelfall sogar die Formulierung seines Prüfungsthemas antizipieren. Wie weit solche Absprachen aber gelingen, hängt einerseits von der Prüfungsordnung ab (zentrale oder dezentrale Aufgabenstellung) und andererseits vom Studienfach und den Prüfenden. *Ihre* Aufgabe ist es herauszufinden, welche Absprachen möglich sind. Dabei ist es auf alle Fälle hilfreich, zu wissen, welche Themenschwerpunkte in den einzelnen Fächern üblich sind und wie die Absprachen in der Praxis tatsächlich gehandhabt werden. Das aber lässt sich immer nur vor Ort erfragen.

2.2 Themen verbinden

Für eine ökonomische Prüfungsvorbereitung ist eine Verbindung von Themengebieten sinnvoll. Verknüpfen Sie, wo immer möglich, Themengebiete miteinander, indem Sie – auch fächerübergreifend – Spezialgebiete wählen, die sich zeitlich und/oder inhaltlich berühren.

Beispiele für Themenverknüpfung

Beispiel: Studienfach Geschichte: Weimarer Republik
Studienfach Neuere Deutsche Literatur: Neue Sachlichkeit
Wenn Sie sich mit der Geschichte der Weimarer Republik beschäftigen, können Sie in der Literatur der Zeit z.B. das Schwerpunktthema „Neue Sachlichkeit" mit Autoren wie Erich Kästner, Hans Fallada, Erich Remarque und Irmgard Keun wählen.

Beispiel: Kunstgeschichte/Englische Literatur: Die Präraffaeliten.

In der Kunst der Präraffaeliten gibt es Dichter, die zugleich Maler waren, Gedichte, die sich auf präraffaelitische Gemälde beziehen, Gemälde, in die Gedichte eingeschrieben sind – ein vielfältiges Netz von Beziehungen und gegenseitigen Deutungen.

Für Themengebiete, die miteinander verknüpft sind, können Sie sich ein gemeinsames Hintergrundwissen erarbeiten, können Methodenwissen übertragen und Forschungsdiskussionen für unterschiedliche Spezialgebiete fruchtbar machen.
Beispiel: Symbolismus in Literatur und bildender Kunst.

2.3 Vertraute Themengebiete

Bereiten Sie für Ihre Prüfungen, wenn möglich, keine vollständig neuen Themenbereiche vor, auch wenn Ihnen die vertrauten Spezialgebiete vielleicht schon etwas abgegriffen vorkommen. Es braucht sehr viel Zeit, sich in ein völlig unbekanntes Gebiet einzuarbeiten, und dieser Zeitaufwand lohnt sich nur wirklich, wenn Sie den Themenbereich später weiter bearbeiten wollen, z.B. im Rahmen einer Dissertation.

vertraute Themengebiete wählen

Ansonsten konzentrieren Sie sich auf Gebiete, mit denen Sie sich im Laufe Ihres Studiums in Veranstaltungen, Praktika oder in eigenen Recherchen schon einmal beschäftigt haben.

Vorwissen aktivieren

Wenn Sie Ihr Spezialgebiet aus der Zusammenarbeit in einer Gruppe oder in Seminaren kennen, überblicken Sie bereits unterschiedliche Forschungsansätze und waren wahrscheinlich auch schon an der ein oder anderen Forschungsdiskussion beteiligt. Sie haben also wichtige Vorinformationen:

Leitfragen stellen

- Was wird kontrovers diskutiert und warum?
- Welche Positionen gibt es zu meinem Themenschwerpunkt?
- Wie wird in diesem Forschungsfeld methodisch gearbeitet?
- Welche Fragen wurden im Seminar/in der Arbeitsgruppe gestellt?
- Welche Ergebnisse wurden formuliert?

Mit einem solchen Wissen können Sie sich leicht erneut in das Themengebiet einarbeiten, können neues Wissen an altes anschließen.

eigenen Bezug zum Thema finden

Vorsicht bei fremden Skripten!

Lernen Sie auf keinen Fall fremde Skripten einfach auswendig, nur weil eine Kommilitonin mit diesem Spezialthema in der Prüfung vielleicht gut abgeschnitten hat. Erstens können Sie in der Klausur ein anders gewichtetes Thema gestellt bekommen. Und wenn Sie sich Ihr Wissen nicht selber erarbeitet haben, können Sie es nur schwer auf eine unerwartete Fragestellung hin ausrichten. Wenn Sie das nötige Wissen dagegen selber erworben haben, kennen Sie sich so gut aus, dass Sie auf fast jede Frage eine relevante Antwort finden werden. Zweitens muss Ihr Themengebiet, so erstaunlich das für Sie zunächst klingen mag, zu Ihnen passen. Versuchen Sie, *jedem*, auch einem ungeliebten Wissensgebiet, eine spannende Seite abzugewinnen. Vor allem in der mündlichen Prüfung wird es sich zeigen, ob Sie lediglich fremdes Wissen reproduzieren oder ob Sie sich mit Kenntnis und Engagement eine eigene Meinung gebildet haben und sie auch argumentativ vertreten können. Das gelingt aber nur, wenn Sie sich einen persönlichen Zugang zu Ihrem Prüfungsgebiet erschlossen haben. Vielleicht sind Sie in der Forschungsliteratur auf eine originelle Deutung gestoßen, vielleicht sind bei Ihrer Vorbereitung unerwartete Fragen aufgetaucht, vielleicht können Sie in Ihrem Spezialgebiet an eigene Erfahrungen anknüpfen? Nutzen Sie diese individuellen Zugänge, die Ihre Motivation verstärken und zugleich Ihre selbstständige Auseinandersetzung mit dem Lernstoff ankurbeln.

sich selbstständig mit dem Lernstoff auseinandersetzen

3. Umgang mit Forschungsliteratur

3.1 Welche Literatur wann lesen?

Haben Sie Ihre Themengebiete festgelegt und mögliche Schwerpunkte mit Ihren Prüfern abgesprochen, dann planen Sie konkret die Bearbeitung der Texte, der Quellen und der Sekundärliteratur. Dabei stellt sich zunächst die Frage, welche Literatur Sie wann lesen sollten. Verschaffen Sie sich bereits bei der Auswahl Ihrer Themengebiete einen Überblick über die wichtigsten Bücher und Aufsätze und stellen Sie fest, welche Sekundärliteratur Sie vollständig und gründlich lesen müssen, welche Bücher Sie auszugsweise kennen müssen und welche Sie lediglich als Hintergrundinformation heranziehen wollen. Das setzt natürlich voraus, dass Sie sich entweder bereits bei der Absprache Ihrer Themengebiete oder nach der ersten groben Übersicht über einige aktuelle Forschungsbeiträge für einen Schwerpunkt innerhalb Ihres Themengebietes entscheiden.

Forschungsliteratur sichten

Zunächst sollten Sie in Ihrem Arbeitsplan genau festlegen, wann Sie welches Themengebiet bearbeiten wollen. Entsprechend rechtzeitig kümmern Sie sich darum, dass Texte, Quellen und Sekundärliteratur verfügbar sind. Fordern Sie die nötigen Fernleihen rechtzeitig an. Wenn Sie fremdsprachige Quellen oder Forschung einbeziehen müssen, überlegen Sie, welche Hilfen Sie brauchen, um sich eventuell schwierige

konkreten Arbeitsplan festlegen

Texte zu erschließen: Fachlexikon? Gespräch mit einem Muttersprachler? Arbeitsteilung mit Kommilitonen?

mit allgemeinem Überblick beginnen

Nehmen wir an, Sie haben die Literatur grob gesichtet und Ihre Fragestellung präzisiert. Anders als bei der Vorbereitung einer schriftlichen Hausarbeit beginnen Sie stets mit einem *knappen, aktuellen Überblick* über den Forschungsstand in Ihrem Themengebiet. Stellen Sie dabei Ihren Blickwinkel zunächst eher weit ein: erforschen Sie den Kontext, in den Ihr Thema gehört. Entwerfen Sie zu aller erst ein Gesamtbild Ihres Spezialgebiets und stellen Sie fest, an welcher Stelle *Ihr* bestimmtes Thema seinen Platz hat. Sie können sich Ihren Themenbereich wie ein Puzzle vorstellen, zusammengesetzt aus lauter einzelnen Prüfungsthemen. Wie sieht das gesamte Puzzle aus? Welches Puzzleteil bearbeiten Sie gerade?

vom Allgemeinen zum Besonderen

Anders als bei der Planung Ihrer schriftlichen Hausarbeiten sollten Sie in Ihrer Prüfungsvorbereitung vom Allgemeinen zum Speziellen vordringen statt umgekehrt. Bei Ihren Hausarbeiten sind Sie sinnvollerweise immer von der Forschungsliteratur ausgegangen, die möglichst *genau* Ihr Thema behandelte. Erst nach und nach haben Sie dann auch angrenzende Fragestellungen einbezogen und Hintergründe ausgeleuchtet. Für eine längere schriftliche Arbeit ist dieses Vorgehen geeignet, denn Sie verarbeiten viel mehr Literatur als bei Ihrer Prüfungsvorbereitung. Dabei stoßen Sie notwendigerweise immer wieder auf Hintergrundwissen, das allen ähnlichen Fragestellungen gemeinsam ist. So erarbeiten Sie sich – oftmals fast nebenbei – genug Wissen über das Umfeld Ihres Themas. In der *Prüfungsvorbereitung* aber kommt es gerade darauf an, sich gezielt *strukturiertes* Wissen zu verschaffen. Wenn Sie sich also zunächst mit Hilfe eines Standardwerkes über den Kontext Ihres Themas informieren, fällt es Ihnen anschließend zunehmend leichter, die einlaufenden Detailinformationen einzuordnen und zu verarbeiten.

Wissen strukturieren

Da Sie weniger lesen werden als für eine Hausarbeit, können Sie sich nicht darauf verlassen, dass sich der Kontext allmählich erschließt. Deshalb sollten Sie mit einem *Überblick* beginnen.

Beispiel: Soziologie: Gewalt an Schulen, Schwerpunkt: Prävention und Intervention. Hier beginnen Sie mit einem Überblick über die Theorien zur Gewalt und die Formen von Gewalt an Schulen, die inner- und außerschulischen Risikofaktoren sowie Erklärungsansätze/Erklärungsmodelle. Anschließend konzentrieren Sie sich auf Prävention und Intervention.

Beispiele für Überblickswissen

Greifen Sie also als erstes zu einem einführenden Grundlagenwerk. Erst danach suchen Sie zielgenau Forschungsliteratur zu *Ihrem* Thema. Gehen Sie dabei aber wiederum „von außen nach innen" vor: die allgemeinere Lektüre rangiert vor der speziellen.

Beispiel: Geographie: Sozialstruktur BRD – DDR. Informieren Sie sich zunächst überblicksartig über Sozialstrukturen und Theoriemodelle. Erst dann konzentrieren Sie Ihre Aufmerksamkeit auf die beiden genannten Systeme.

3.2 Wie lesen?

Sind Sie bei einem Buch angekommen, das exakt Ihr Thema trifft, so intensivieren Sie Ihre Lektüre. Bis jetzt haben Sie sich in einem ersten Überblick nur die großen Linien eines Themengebiets vergegenwärtigt. Einzelheiten der Argumentation mussten Sie sich noch nicht merken, weil es Ihnen zunächst nur um den Sitz Ihres Themas im Forschungskontext ging. Sobald Sie den Fokus aber auf das von Ihnen gewählte Thema einstellen, müssen Sie die Argumentation in ihrem Zusammenhang verstehen und unterschiedliche Forschungspositionen kontrastiv erfassen.

lesen nach Plan

Um sich unnötige Lektüre zu ersparen, wählen Sie die Forschungsliteratur für Ihre Prüfungsvorbereitung sorgfältig aus. Fragen Sie nicht nur „Was muss ich lesen?", sondern auch „Was kann ich weglassen?"

Strukturieren Sie Ihren Leseprozess grundsätzlich nach dem Merksatz

„**O**hne **F**utter **l**ernen **Z**ebras **n**ie“:

Orientierung – **F**ragen – **L**esen –
Zusammenfassen – **N**acherzählen!

Orientierung

Verschaffen Sie sich vor jeder Lektüre zunächst einen Überblick: Wie ist das Buch aufgebaut und welchen Nutzen hat es für mein Thema?

Ist das Buch für mein Thema brauchbar?

Studieren Sie zunächst gründlich das Inhaltsverzeichnis, und lesen Sie die Einleitung. Wenn die einzelnen Kapitel sprechende Überschriften tragen, zeigt Ihnen das Inhaltsverzeichnis bereits, ob das Buch für Sie einschlägig ist. Die Einleitung gibt Ihnen dann zusätzliche Informationen, die Ihnen helfen, die folgenden wichtigen Fragen zu beantworten:

Abbildung 2: Lesen und Exzerpieren

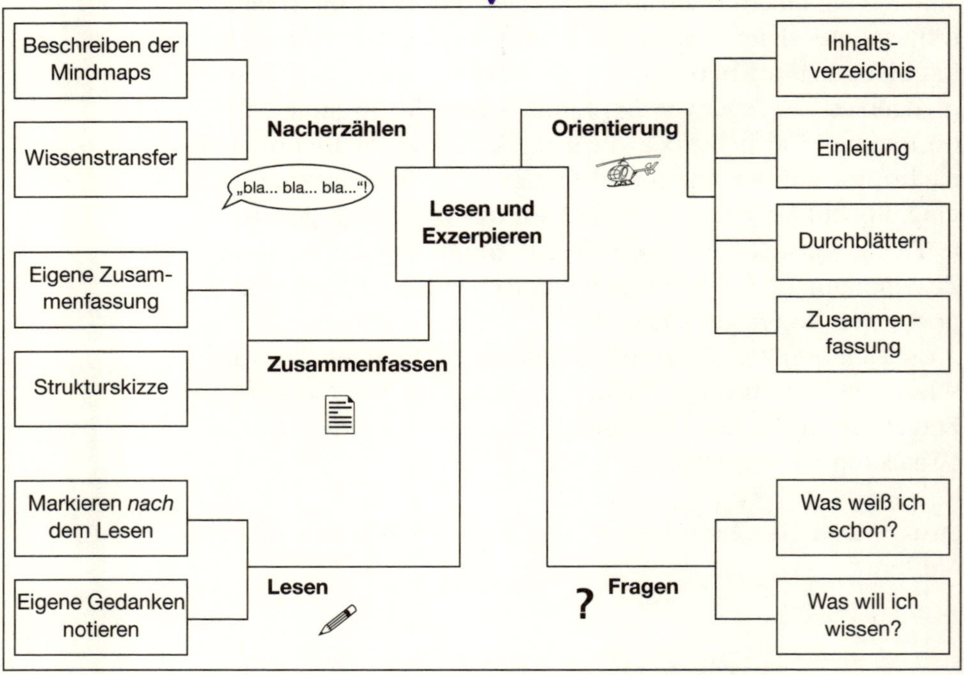

- *Welche Schwerpunkte setzt der Autor?*
- *Auf welche Fragen antwortet er?*
- *Welche Kapitel sind für mein Thema zentral?*
- *Welche Kapitel liefern vor allem Hintergrundinformationen?*
- *Welche Kapitel kann ich überspringen, weil sie mein Thema nicht betreffen?*
- *Welche Kapitel kann ich überspringen, weil ich den Inhalt schon kenne?*

Welche Schwerpunkte setzt derAutor?

Wollen Sie noch genauer wissen, was Sie erwartet, achten Sie beim anschließenden Durchblättern auf Zwischentitel und den Umfang der einzelnen Kapitel. So gewinnen Sie einen Einblick in die Struktur und Gewichtung der Studie: Welchen Aspekten widmet der Autor umfangreiche Kapitel, wie gliedert er sein Material, welche Aspekte werden nur gestreift?

Welche Ergebnisse?

Neben der Einleitung geben *Zusammenfassungen* Auskunft über die wichtigsten Ergebnisse eines Textes. Oft haben auch die einzelnen Kapitel kurze Zusammenfassungen, die optisch hervorgehoben sind. Sie können dann von Fall zu Fall entscheiden, welche Kapitel Sie gründlich lesen wollen und welche Sie nur überfliegen müssen. Enthält ein Buch keine Kapitelzusammenfassungen, ist natürlich die Schlusszusammenfassung besonders wichtig. Nach diesem „Rundflug" wissen Sie, ob Sie das richtige Buch für Ihre Prüfungsvorbereitung gewählt haben.

Fragen

?

Was weiß ich schon?

Was weiß ich schon? Bevor Sie ein Buch systematisch durcharbeiten, halten Sie einen Moment inne und machen Sie eine kurze Bestandsaufnahme Ihres Wissens. Notieren Sie in Stichworten, was Sie bereits über Ihr Thema wissen. Diese Übersicht erleichtert Ihnen die anschließende Einordnung des Gelesenen in Ihr eigenes Denken. Dadurch können Sie die neuen Informationen besser verstehen und sich leichter selbstständig mit dem fremden Text auseinandersetzen.

Was will ich wissen?

Was will ich wissen? Als nächstes sollten Sie Ihr Leseziel definieren, indem Sie sich klar machen, welche Informationen

Sie von diesem speziellen Buch erwarten. Suchen Sie

- Hintergrundwissen
- einen Forschungsüberblick
- Antworten auf Detailfragen
- die Entwicklung einer bestimmten Theorie
- die Anwendung eines Verfahrens
- die kritische Einschätzung eines Phänomens
- die Interpretation eines Textes oder einer Quelle?

genaue Fragen formulieren

Prioritäten festlegen

Je genauer Sie Ihre Fragen an das Buch formulieren, um so gezielter richtet sich Ihre Aufmerksamkeit auf die relevanten Informationen des Textes. Durch Ihre Fragestellung werfen Sie gleichsam beim Lesen ein Netz aus, in dem sich diejenigen Informationen fangen, die Antworten auf Ihre Fragen bereit stellen. Setzen Sie bei Ihren Fragen immer auch Prioritäten: Welche Informationen sind für Ihr Thema am wichtigsten? Auf welche Fragen brauchen Sie unbedingt eine Antwort?

Lesen

Das systematische Lesen der Forschung ist immer ein systematisches Durcharbeiten. Fotokopien können diese eigene Arbeit nicht ersetzen, deshalb fotokopieren Sie möglichst wenig! So geraten Sie nicht in Gefahr, zu fotokopieren statt zu exzerpieren.

Antworten auf Fragen suchen

Wichtiges von Unwichtigem trennen

Erarbeiten Sie sich jeden Text Schritt für Schritt. Verschaffen Sie sich über jeden Text zuerst einen groben Überblick: Worum geht es im vorliegenden Kapitel oder Abschnitt? Lesen Sie anschließend zunächst ungefähr zwei Seiten und richten Sie dabei Ihre Aufmerksamkeit auf die Frage oder die Fragen, auf die Sie Antworten erwarten. Erst *nach* dem Lesen dieser zwei Seiten blättern Sie zurück und markieren die zentralen Textstellen. Wenn Sie sofort während des Lesens anstreichen, haben Sie am Ende häufig einen über und über markierten bunten Text vor sich, der keine Trennung von Wichtigem und Unwichtigem mehr erkennen lässt. Gerade darauf aber kommt es beim Lesen an: das Wichtige vom weniger Wichtigen zu trennen und das Wichtige in *Ihren* Wissenskontext einzufügen. Sie können aber erst *nach* dem Lesen wirklich entscheiden, was in einem Text besonders wichtig ist.

Wenn Sie einen schwierigen Text vor sich haben, müssen Sie Ihre Lektüre verlangsamen. Nehmen Sie sich – nach dem ersten Lesen – Abschnitt für Abschnitt vor und unterstreichen Sie die wichtigsten Sätze nach folgenden Leitfragen:

Lesen in Zeitlupe

- Was ist das Thema dieses Abschnitts? Worum geht es?
- Was ist die wichtigste Aussage zu diesem Thema?

Sie können dabei verschiedene Fragestellungen mit unterschiedlichen Farben oder mit selbstgewählten Symbolen am Rand markieren. Dadurch wird die innere Struktur des Textes klarer sichtbar. Sie erkennen, welche Themen besonders intensiv behandelt werden, wie verschiedene Themen verknüpft werden und welche Schwerpunkte die einzelnen Abschnitte haben.

innere Struktur sichtbar machen

Wenn Sie einen Text so markiert haben, können Sie später schnell und gezielt einzelne Themen nochmals ansteuern, ohne den ganzen Text noch einmal durcharbeiten zu müssen. Mit diesem ersten Überblick nach der Lektüre gelingt Ihnen auch schon eine erste eigene Verarbeitung des Textes.

Wenn es Ihnen bei einem Text besonders schwer fällt, Wichtiges von Unwichtigem zu trennen, probieren Sie einmal die Durchstreich-Methode aus: stecken Sie eine Seite Text in eine Folie und streichen Sie alle Sätze durch, die nicht zentral sind. Zum Schluss bleiben die wichtigsten Sätze oder Satzteile stehen.

Durchstreich-Methode

Wenn Sie Schwierigkeiten haben, einen Text von Anfang an zu verstehen, blättern Sie möglichst nicht jedes Mal gleich zurück. Lesen Sie *nicht* ein und denselben Satz oder Abschnitt drei Mal hintereinander in der Hoffnung, dass sich der Knoten von selber löst. Lesen Sie stattdessen lieber erst einmal langsam weiter. Viele Verständnisprobleme lösen sich nämlich von selber, wenn nach und nach Erklärungen folgen, Hintergrundinformationen hinzukommen oder sich durch Wiederholungen plötzlich auch ein zuvor unverständlicher Abschnitt erschließt.

nicht in „Schleifen" lesen

Während Sie die Forschungsliteratur durcharbeiten, sollten Sie unbedingt Ihren eigenen Gedanken Raum geben, die als

Assoziationen, als Fragen, als kritische Kommentare und Ergänzungen auftauchen. Die brauchbarsten Einfälle kommen Ihnen nämlich, während Sie die Forschungsliteratur lesen und sich dabei mit dem Gelesenen auseinandersetzen. Legen Sie ein Blatt Papier neben sich und notieren Sie *sofort* alle eigenen Einfälle. Diese Liste der „Memos" wird Ihnen später nützlich sein. Sie können sie in der Klausur brauchen, wenn es darum geht, eine eigene Stellungnahme zu Ihrem Thema zu formulieren. Auch in der mündlichen Prüfung ist Ihre eigene kritische Stimme gefragt.

eigene Einfälle festhalten

Schnelllesen

Ein Wort noch zum Thema „Schnelllesen": wie Sie wissen, gibt es verschiedene Methoden, die eine enorme Steigerung des Lesetempos versprechen. Sie sind geeignet, wenn es darum geht, sehr schnell möglichst viele Fakten zu erfassen oder sich rasch über Gegenstand und Hauptaussage eines Textes zu informieren. Sie können also diese Methoden benutzen, wenn Sie ohne gründliche Lektüre lediglich feststellen wollen, ob ein gewähltes Buch tatsächlich die gesuchte Information liefert.

Schnelllesen nur für Überblickswissen

Ein bewährtes Verfahren für einen schnellen Überblick ist die Lektüre der ersten Sätze: wenn Sie z.B. in einem Aufsatz jeweils den ersten Satz eines Abschnitts lesen, überblicken Sie rasch die Thematik und Ergebnisse des Textes. Als Entscheidungshilfe für die Lektüre ist dieses Vorgehen also durchaus geeignet. Sobald Sie aber die Argumentation Schritt für Schritt verstehen und prüfen wollen, helfen Ihnen Schnelllesemethoden nicht. Einen komplexen Text muss man konzentriert und mehr oder weniger langsam lesen, nur so kann sich gleichzeitig das eigene kritische Denken entfalten.

zur Orientierung erste Sätze lesen

Zusammenfassen

Nachdem Sie ein Kapitel – oder bei sehr komplexen Texten: einige Seiten – durchgearbeitet haben, lesen Sie die markierten Textstellen nochmals durch und versuchen, Abschnitte mit ähnlichen Themen in eigenen Worten zusammenzufassen. Bei dieser Zusammenfassung kommt es vor allem darauf an, so knapp wie möglich, dabei aber so ausführlich und präzise wie nötig vorzugehen. Vermeiden Sie allgemeine, vage Formulierungen, die zwar im Augenblick des Schreibens durchaus für konkrete Inhalte stehen, die Sie aber nach einiger Zeit möglicherweise selber nicht mehr verstehen. Leitbegriffe können Ihnen dabei helfen, die Ergebnisse so festzuhalten, dass Sie den Zusammenhang auch später noch rekonstruieren können. Unter „Leitbegriffen" verstehen wir hier charakteristische Schlüsselwörter, die spezielle Ergebnisse eines Textes *unverwechselbar* festhalten, weil sie für gerade diesen Text kennzeichnend sind. Mit Hilfe dieser Leitbegriffe können Sie die Ergebnisse eines bestimmten Textes auch nach mehreren Wochen noch in Ihrem Gedächtnis aufrufen.

präzise Formulierungen wählen

Leitbegriffe

Dieses systematische Vorgehen eignet sich vor allem für schwierige Texte; bei einfachen Texten können Sie bereits nach dem Lesen und Markieren eines Kapitels jeweils die Hauptaussagen herausfiltern und festhalten.

Ihre Zusammenfassung können Sie durch Beispiele aus dem Text oder besonders sprechende Zitate ergänzen. Wichtig ist in jedem Fall, dass Sie sich den fremden Gedankengang durch Ihre eigene Formulierung verfügbar machen, anstatt das Gelesene nur wortwörtlich abzuschreiben. Wenn wir uns nämlich eine neue Information durch eigenes Umformulieren aneignen, verstehen wir sie besser und können sie uns besser merken. Formulieren Sie dabei immer ganze Sätze, nicht nur Stichwörter. Auf diese Weise überprüfen Sie, ob Sie den Text tatsächlich verstanden haben. Zusammenhänge, die man nicht wirklich begriffen hat, lassen sich nämlich nur mit großer Mühe in zusammenhängenden Sätzen wiedergeben. Zugleich testen Sie auch, ob Sie in der Lage sind, das aufgenommene Wissen wiederzugeben.

Zusammenfassung in eigenen Worten

Ihre Zusammenfassung können Sie zusätzlich durch Überschriften und eventuell Untertitel gliedern, um sich die Argumentation des Textes deutlicher vor Augen zu führen. Wenn Sie Ihre Zusammenfassung geschrieben haben, lesen Sie sich Ihren Text selber laut vor. So prägt sich der neu erarbeitete Inhalt bereits in Ihr Gedächtnis ein.

Überschriften finden

Zusammenfassungen laut lesen

Nachdem Sie die neuen Lerninhalte zusammengefasst haben, legen Sie eine kurze Pause ein, um etwas Abstand zu gewinnen. Anschließend nehmen Sie Ihre „Memos" zur Hand und überlegen, wie Sie das Gelesene kritisch bewerten wollen:

eigene Gedanken entwickeln

- Welche Einwände lassen sich gegen die wichtigsten Thesen erheben?
- Welche Gegenpositionen gibt es? Vergleichen Sie die Positionen!
- Welche Fragen bleiben offen?
- Welchen Thesen stimmen Sie zu und warum?
- Welche Thesen lehnen Sie ab und warum?
- Welche Thesen würden Sie modifizieren und wie?

3.3 Strukturskizzen

Zur eigenen Reorganisation des Gelesenen gehört auch eine Skizze der inneren Struktur eines Textes. Wenn Sie ein für Ihr Thema besonders wichtiges Buch vor sich haben, entwerfen Sie ein Mindmap der Gedankengänge. Überlegen Sie aber zunächst, welche Fragestellung Sie im Rahmen Ihrer Prüfungsvorbereitung bearbeiten wollen. Es geht nämlich in der Regel nicht darum, ein Buch von A bis Z in eigenen Worten wiederzugeben, sondern darum, die für die eigene Themenstellung relevanten Aussagen herauszufiltern. Diese wichtigsten Ergebnisse fassen Sie dann in einem Mindmap zusammen, das auf *Ihren* Themenschwerpunkt zugeschnitten ist.

Fragestellung präzisieren

Ein Mindmap ist eine graphische Übersicht über ausgewählte Hauptgedanken eines Textes. In der Mitte eines großen Blattes steht in einem Kreis das Thema. Von hier aus breiten sich strahlenförmig verschiedene Äste aus, an deren Ende wiederum Kreise mit Leitbegriffen stehen. Unter diesen Leitbegriffen sind die wichtigsten Thesen und Argumente des Textes zusammengefasst.

Mindmap der Ergebnisse

Nehmen wir als Beispiel einen Artikel zum Thema „Massenpsychologie" aus Fischers Lexikon der Psychologie:

Wie entwerfe ich ein Mindmap?

Das Wort Masse leitet sich vom griechischen Verbum „μάσσειν" (=kneten) her. Auf den Menschen angewandt, bedeutet Masse einen Zustand der Vielheit, die aus sich selbst keine Ord-

nung oder Struktur entwickeln kann, die vielmehr unter äußerem Druck passiv geformt wird. Inhalt der Massenpsychologie sind die Phänomene des irrationalen, triebhaften Verhaltens menschlich tierischer Plurale, z.B. einer von Panik ergriffenen Menge oder einer ausbrechenden Tierherde. Massensituationen im eigentlichen Sinne werden durch den Verlust der Gegenseitigkeitsrelationen charakterisiert.

Die von G.Tarde, G. Le Bon und S. Sighele begründete Massenpsychologie stellt das selbstbeherrschte, rationale und schöpferische Individuum und die chaotische, auf äußere Führung angewiesene Masse einander gegenüber; sie interpretiert Mehrheitsaktionen der verschiedensten Art (Revolutionen, Demonstrationen, Streiks, Lynchjustiz, Volksfeste, aber auch Ratsversammlungen und Parlamente) als Massenerscheinungen. Als typische Merkmale des Menschen in der Masse werden Anonymität, Schwinden der persönlichen Verantwortung, Dominanz der Triebe und des Gefühls über die Vernunft, Senkung des Intelligenzniveaus, Entinnerlichung und die Bereitschaft zur Unterwerfung unter einen mit magischen Ansprüchen auftretenden Führer beschrieben.

Die ältere Massenpsychologie trägt dem koordinierten und keineswegs dumpfen oder chaotischen Zusammenwirken von Einzelpersönlichkeiten in Gruppen zu wenig Rechnung; sie verkennt die Möglichkeit produktiver Gruppenleistungen. Die neuere Massenpsychologie geht mit Ortega y Gasset von der Tatsache der starken Bevölkerungszunahme Europas im 19. Jahrhundert aus und knüpft daran den Begriff der „Vermassung" bzw. der Entpersönlichung und der Nivellierung des modernen Menschen.

Der Begriff „Massenmensch" erhält so zwei kaum miteinander zu vereinbarende Bedeutungen: Im Sinne Le Bons handelt es sich um den Angehörigen eines ungeordneten (barbarischen) Haufens, während man im Gefolge Ortega y Gassets eher an den Inhaber einer kleinen Kompetenzdomäne in einem rational bis ins letzte durchstrukturierten Gefüge, z.B. im bürokratischen Verwaltungsapparat, zu denken hat. In diesem zweiten Sinn lässt sich jedoch kaum von triebhafter Ausgelassenheit sprechen. Das Leben des Massenmenschen ist vielmehr in ganz besonderem Maße auf Gegenseitigkeit ge-

stellt; D. Riesman beschreibt seine Normenstruktur als ein System der Außen-Lenkung, das ist: der dauernden Rücksichtnahme auf das Urteil der jeweiligen Nachbarn.

Im Zuge von Renaissance und Reformation, d.h. in der von J. Burckhardt als „Entdeckung des Individuums" charakterisierten Geschichtsperiode, entwickelt sich aus dem neutralen Wort für „Volk" (populus) das Schmähwort „Pöbel". Hier spricht sich die negative Bedeutung der Vielheit deutlich aus.

Im neuen Sinn des Wortes ist die Masse eine Großgruppe, deren Struktur für ihre einzelnen Angehörigen kaum überschaubar ist. Diese können sich daher durchaus verloren fühlen und die tatsächlich bestehende Gruppe mit einer chaotischen Masse verwechseln. Diese Entwicklung bedroht jeden Großverband, da die Einhaltung der für eine zielgerechte Gruppendynamik erforderlichen Voraussetzung mit der wachsenden Zahl der Gruppenmitglieder immer schwieriger wird.

(Artikel „Massenpsychologie", leicht verändert, nach Peter R. Hofstätter (Hrsg): Fischer Lexikon Psychologie. Frankfurt/M. 1970, S.201-203).

Clustermodell für Prüfungen

In der didaktischen Literatur zum Mindmapping werden Sie ganz unterschiedliche Modelle von Mindmaps finden wie das Heugabelmodell, das Fischgrätenmodell und das Clustermodell. Für Ihre Prüfungsvorbereitung möchte ich Ihnen das einfachste Modell der Gedankenkreise (Clustermodell) empfehlen. Es ist mit einem Blick zu überschauen und eignet sich deshalb besonders gut für die Aufbereitung von vernetztem Wissen und für das strukturierte Lernen größerer Informationsmengen.

Das Mindmap zu dem vorliegenden Lexikonartikel könnte folgendermaßen aussehen:

Im Zentrum steht das Thema „Massenpsychologie". Gegliedert ist der Artikel in vier Einheiten: Definition, Manifestationen der Masse, Merkmale der Masse, Einordnung und Bewertung von Massenphänomenen. Diesen vier Kategorien lassen sich alle Einzelbeobachtungen und Folgerungen in diesem Artikel zuordnen.

Abbildung 3: Massenpsychologie

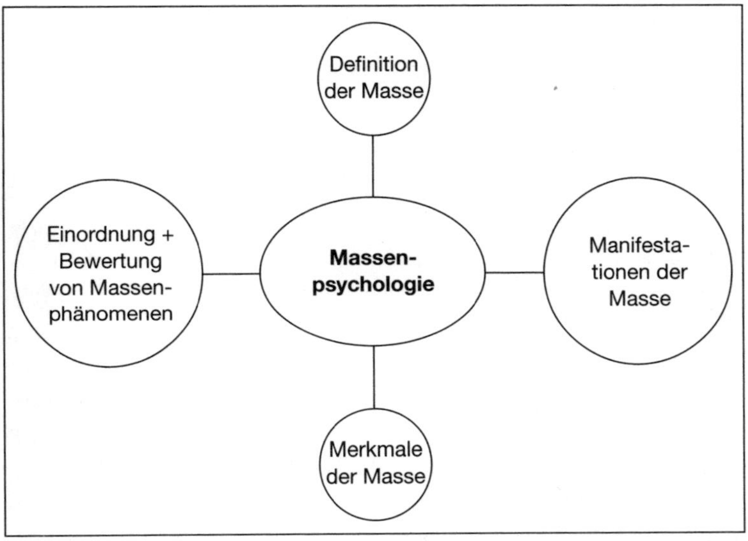

3.4 Wie wiedergeben?

Während des Lesens und Exzerpierens sollten Sie bereits überlegen, wie Sie das Gelesene in Ihrer Klausur oder in der mündlichen Prüfung wiedergeben können. Sobald Sie mehrere Bücher oder Aufsätze zu einem Thema durchgearbeitet und exzerpiert haben, legen Sie sich eine Übersicht an: bringen Sie die verschiedenen Forschungspositionen auf den Punkt und stellen sie diese Positionen einander gegenüber. Diese Übersicht können Sie in Form einer Tabelle anlegen oder wiederum als Mindmap. Das Mindmap hat den Vorteil, dass sich hier *mehrere* Fragen und Unterfragen zum Thema zusammenfassen lassen, während sich die Tabelle eher für den Vergleich von nur wenigen konträren Auffassungen oder Fragestellungen eignet.

Übersicht über die Forschungspositionen

Tabelle oder Mindmap?

Nehmen wir an, Sie untersuchen die vertikale soziale Mobilität in industriellen Gesellschaften. Das bedeutet, Sie analysieren die berufliche Mobilität zwischen verschiedenen Klassen und Schichten. Sie vergleichen hierbei drei verschiedene *theoretische Ansätze*: das liberale Modell, das neomarxistische

Modell und das Schwankungsmodell. In einer Gegenüberstellung werden die Unterschiede besonders deutlich:

Aufwärtsmobilität Liberales Modell	Abwärtsmobilität Neomarxistisches Modell	Schwankungen
technologische Entwicklung, Höherqualifizierung, leistungsbedingte Statuszuweisung statt herkunftsbezogener	Rationalisierung, Dequalifizierung, Trennung von anweisender und ausführender Tätigkeit entscheidend	mobile und immobile Perioden wechseln, in jeder sozialen Schicht Tendenz zu sozialer Schließung nach außen

Position auf den Punkt bringen

Eine Position auf den Punkt zu bringen, bedeutet also immer, herauszufinden, was sie von anderen Positionen zum gleichen Thema unterscheidet. Außerdem müssen Sie wissen, mit welchen Argumenten der Autor seine Position begründet. Den Überblick über die verschiedenen *Faktoren* vertikaler sozialer Mobilität stellen Sie wiederum am besten als Mindmap dar (vgl. Abb. 4).

Wissen nach Fragestellungen ordnen

Wenn Sie *verschiedene* Fragestellungen zu *einem* Themengebiet bearbeiten, ordnen Sie in Ihrem Mindmap die Forschungspositionen den Fragestellungen zu. Ihre Übersicht wird so zu einer Skizze der verschiedenen Forschungspositionen zu unterschiedlichen Fragestellungen. Sie sortieren also das Gelesene nicht „längs" nach den einzelnen Büchern oder Aufsätzen, sondern „quer" nach Ihren Fragestellungen. So bereiten Sie Ihr Wissen optimal für die Wiedergabe (in der Klausur oder der mündliche Prüfung) auf.

Beispiel: Mindmap nach Fragestellungen

Wenn Sie beispielsweise als Themengebiet Kafkas Erzählungen gewählt haben, so bieten sich unterschiedliche Fragestellungen an, zu denen verschiedene Forschungspositionen existieren. Sortieren Sie die Forschungspositionen nach Ihren Fragestellungen. Nehmen wir an, Sie befassen sich mit dem Problem von Recht und Gesetz in Kafkas Texten, mit der Rolle der Kommunikation und mit der Bedeutung des Todes. Zu diesen Fragestellungen haben Sie vier unterschiedliche Deutungen verglichen: die psychologische, die literatursoziologische, die strukturalistische und die dekonstrukti-

Abbildung 4: Vertikale soziale Mobilität

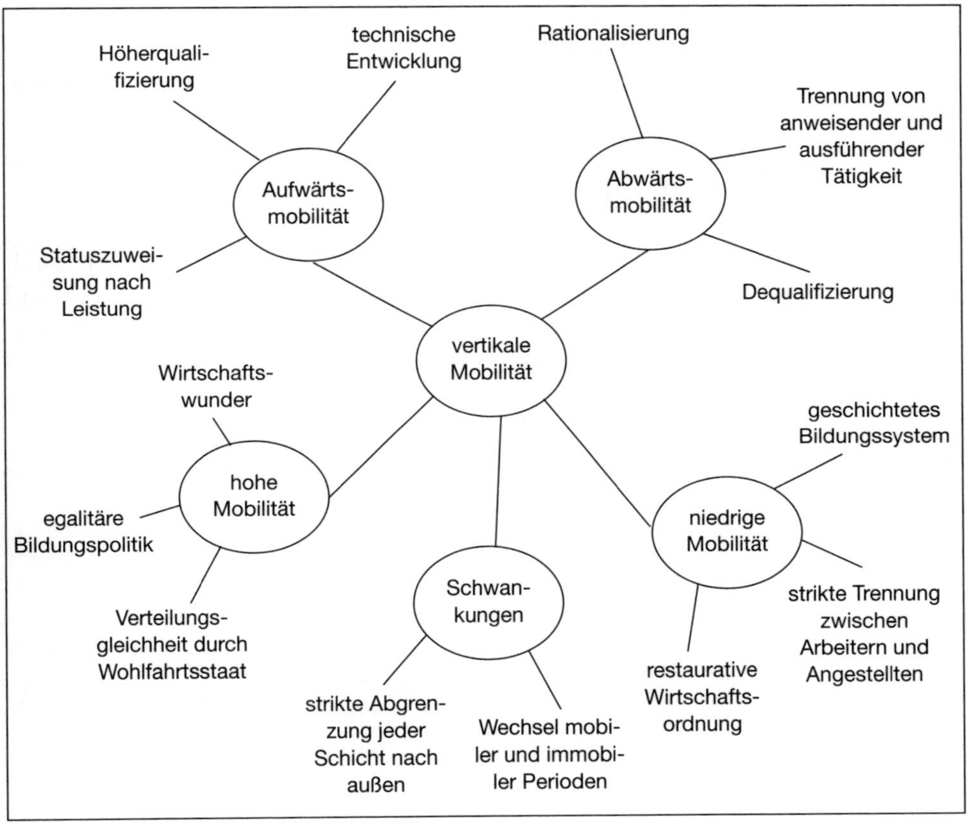

vistische. Notieren Sie jetzt in einem Mindmap die unterschiedlichen Positionen zu den jeweiligen Fragestellungen.

Abbildung 5: Kafkas Erzählungen: thematische Aspekte

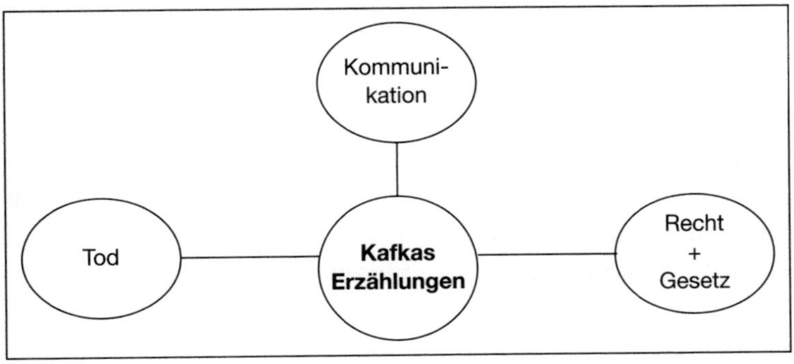

Welche konkreten Inhalte auf den Strahlen rund um die themenzentrierten Kreise stehen, hängt von den jeweils gewählten Erzählungen ab.

Mindmap probeweise umschreiben

Am besten schreiben Sie das Mindmap mehrmals um und probieren dabei verschiedene Gruppierungen und Kategorien aus. So erarbeiten Sie sich das Gelesene bereits selbstständig, entdecken offene Fragen und machen sich das neue Wissen verfügbar.

Beispiel: Mindmap nach Forschungsrichtungen

Sie könnten das Mindmap zu Kafkas Erzählungen auch nach den verschiedenen Forschungsrichtungen gliedern und die Fragestellungen dann nacheinander den unterschiedlichen Interpretationsansätzen zuordnen:

Abbildung 6: Kafkas Erzählungen: Interpretationsansätze

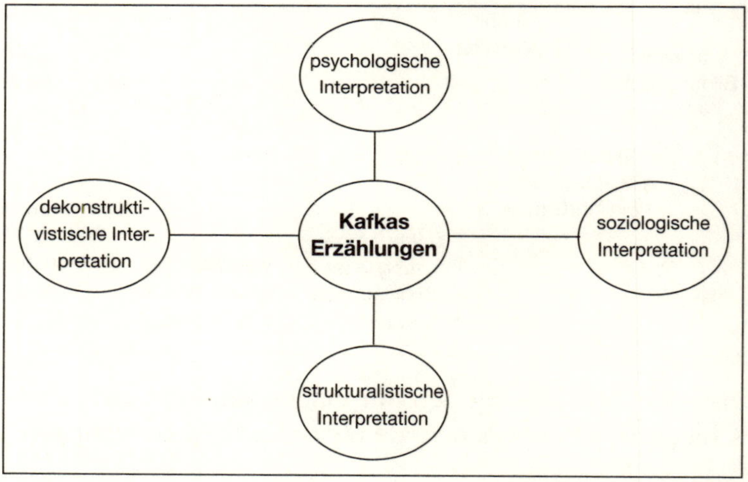

Mindmap wächst mit

In jedem Fall lassen sich mit Hilfe eines Mindmaps komplexe Zusammenhänge übersichtlich darstellen. Am besten hängen Sie ein möglichst großes Blatt Papier (Querformat!) an einem gut sichtbaren Platz in ihrem Arbeitszimmer auf. Im Laufe Ihrer Arbeit kann dann Ihr Mindmap mitwachsen: Sie können es ergänzen, verändern, können Hinweise auf weitere Forschungsliteratur hineinschreiben, eigene Ideen hinzufügen und offene Fragen notieren. Wenn Sie mehrmals täglich an Ihrem Mindmap vorbei gehen, prägt sich Ihnen das Gedankenbild beinahe von selber ein.

Exzerpieren Sie möglichst am PC und legen Sie für jedes Themengebiet einen eigenen Ordner an und für jedes mögliche Prüfungsthema, jeden Schwerpunkt, eine eigene Datei in diesem Ordner. Durch das einfache Umstellen und Zusammenfügen von Textbausteinen können Sie Ihr Wissen Ihrem jeweiligen Kenntnisstand entsprechend neu strukturieren. Wenn Sie in einem Buch Informationen zu unterschiedlichen Themen finden, können Sie außerdem Ihren Lernstoff sofort den gewählten Schwerpunkten zuordnen. Auf diese Weise leisten Sie während des Exzerpierens schon die wichtige Arbeit des Strukturierens, Komprimierens und Vergleichens, die Sie brauchen, um Ihr Wissen flexibel einsetzen zu können. Sobald Sie alle Informationen zusammengetragen haben, sollten Sie Ihre Exzerpte ausdrucken. Denn jetzt geht es darum, sich einen Überblick über das gesammelte Wissen zu verschaffen, und das gelingt nur, wenn Sie den gesamten Lernstoff in komprimierter Form vor sich haben. Lassen Sie in Ihren Exzerpten auch immer genügend Rand frei für spätere eigene Einfälle und Fragen.

Exzerpte den Schwerpunkten zuordnen

In die Übersicht der Forschungspositionen arbeiten Sie jetzt auch Ihre eigenen Einfälle mit ein. Malen Sie zu jedem Themenbereich ein Mindmap, das komprimiert alle wichtigen Informationen enthält und das Sie sich optisch leicht einprägen können. Mindmaps und Tabellen/Übersichten können Sie auch auf Karteikarten festhalten und, nach Themen geordnet, in Ihre Lernkartei einsortieren.

Mindmap stützt die Erinnerung

Nacherzählen

Beschreiben Sie Ihr Mindmap immer wieder laut in Worten. Am besten tragen Sie Ihr Wissen einem konkreten Zuhörer vor. Überlegen Sie bereits beim Zusammenfassen, wie Sie einen Sachverhalt erklären könnten. Beim Nacherzählen merken Sie sofort, wenn Sie etwas selber noch nicht richtig verstanden haben. Und beim Nacherzählen sind Sie auch gezwungen, Ihrer Darstellung eine Struktur zu geben, die Ihr Zuhörer nachvollziehen kann.

Wissen mitteilbar machen

Sichern Sie in jedem Fall den Transfer Ihres Wissens aus einem Kontext in einen anderen. Wenn Sie sich ein spezielles

Wissen an einem bestimmten Beispiel verdeutlicht haben, suchen Sie zusätzlich nach anderen Anwendungsfeldern, anderen Beispielen und anderen Argumentationszusammenhängen. Entdecken Sie das Gesetz hinter den einzelnen Phänomenen, die Regel hinter dem Beispiel, den übergeordneten Zusammenhang hinter dem speziellen Vorgang. Sie sollten in der Prüfung in der Lage sein, Ihr konkretes Detailwissen zu verallgemeinern und es auf parallele Fragestellungen anzuwenden.

Wissenstransfer sichern

Beispiel für Wissenstransfer

Nehmen wir an, Sie haben sich mit einer Kurzgeschichte von Hemingway beschäftigt und bestimmte Merkmale herausgearbeitet. Übertragen Sie diese Merkmale auf die Analyse anderer Kurzgeschichten desselben Autors und stellen Sie Gemeinsamkeiten und Unterschiede fest. Anschließend vergleichen Sie die Merkmale, die mehr oder weniger allen untersuchten Texten gemeinsam sind, mit typischen Kompositions- und Stileigenarten anderer amerikanischer Kurzgeschichten aus der zweiten Hälfte des 20.Jahrhunderts. Informationen über die Kurzgeschichte allgemein sowie über bestimmte Autoren entnehmen Sie der Forschung. Die dort skizzierten Muster wenden Sie vergleichend auf die ausgewählten Texte Ihrer Wahl an. Aus dieser Zusammenschau gewinnen Sie ein Bild der amerikanischen Short Story und können in Ihrer Prüfung sowohl spezielle Fragen zu Hemingways Kurzgeschichten als auch übergreifende Fragen zur Short Story beantworten.

Rückblick

Wenn Sie Ihren Lernprozess planen, berücksichtigen Sie Ihren „Lerntyp“ und probieren Sie verschiedene Lernkanäle aus. Wählen Sie möglichst vertraute Themenbereiche und verbinden Sie ähnliche Wissensgebiete miteinander. Werten Sie die Forschungsliteratur nach Ihren eigenen Fragestellungen aus und erarbeiten Sie sich Ihr Wissen mit Hilfe von Strukturskizzen. Bringen Sie unterschiedliche Forschungspositionen kontrastierend auf den Punkt und beschreiben Sie in Ihren eigenen Worten die Gemeinsamkeiten und Unterschiede.

Kapitel 6
Wissen verankern

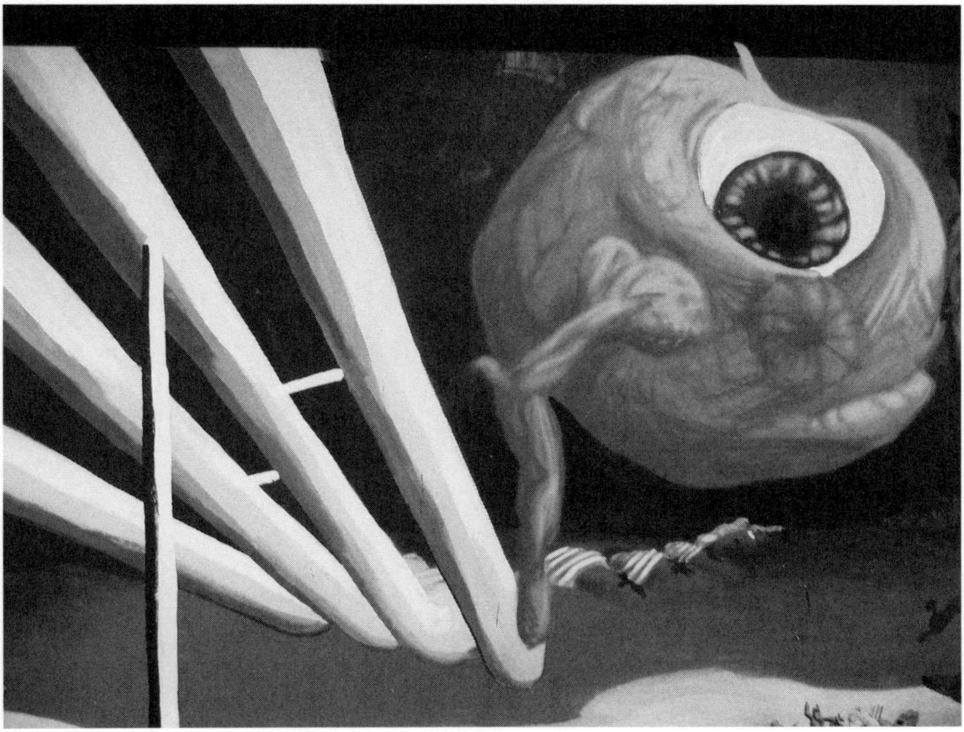

Wissen verankern

1. Wissen strukturieren

2. Mit Logik lernen
- Chronologie
- Analogie
- Assoziationen
- Gegensätze
- Überschriften und Leitbegriffe
- Strukturplan

3. Mit Bildern lernen
- Mindmap
- Skizze
- Diagramm
- Denkfoto
- Loci Technik
- Farben

4. Mit Tönen lernen
- laut vortragen
- Rhythmus
- Lieder und Verse
- Satzmelodie

5. Mit Sprachspielen lernen
- Reime
- Akronym

6. Mit Geschichten lernen
- Praxisbezug
- Geschichten erfinden
- Bedeutung zuweisen

Nachdem Sie das nötige Wissen zusammengetragen haben, müssen Sie es sich möglichst sicher einprägen. In diesem Kapitel lernen Sie viele unterschiedliche Strategien kennen, um Ihr Wissen lerngerecht aufzubereiten. Doch bevor Sie nach der geeigneten Strategie suchen, fragen Sie sich zu aller erst: *Wie kann ich mein Wissen ordnen?* Es geht nämlich in Ihrer Prüfung nicht in erster Linie darum, möglichst viel angehäuftes Wissen zu reproduzieren, sondern darum, dem Wissen eine Struktur zu geben.

1. Wissen strukturieren

In der Prüfung müssen Sie einen Sachverhalt selbstständig darlegen können, müssen eine zielgenaue Antwort auf die gestellte Frage geben und dabei eine zusammenhängende Argumentation entwickeln. Das gelingt aber nur, wenn Sie zuvor das Wichtige vom Unwichtigen getrennt und die wichtigen Argumente miteinander verknüpft haben. Sie reduzieren also die Fülle der Information und bringen die zentralen Merkmale in eine themengerechte Ordnung. So strukturieren Sie Ihr Wissen nach Gesichtspunkten, die Sie selbst gewählt haben.

Wie lässt sich Wissen strukturieren?

Wissen lässt sich auf ganz unterschiedliche Weise strukturieren:

- Sie zeigen Entwicklungslinien auf
- Sie ziehen Vergleiche
- Sie stellen Positionen einander kontrovers gegenüber
- Sie erforschen den Zusammenhang von Phänomen und Ursache, bzw. von Ursache und Wirkung
- Sie ordnen Ereignisse und Phänomene in ihren Kontext ein
- Sie erklären die Funktion bestimmter Phänomene in einem übergreifenden Zusammenhang
- Sie ordnen unterschiedliche Phänomene in aufsteigender oder absteigender Linie an.

Beispiele für die Strukturierung von Wissen

Beispiel: Entwicklungslinien aufzeigen: Sie beschreiben den Untergang der römischen Republik,

Beispiel: Vergleiche: Sie vergleichen die Kaiseridee Friedrich I. Barbarossa mit der Friedrichs II. Sie fragen nach Wurzeln, Unterschieden und Gemeinsamkeiten,

Beispiel: Positionen einander kontrovers gegenüberstellen: Sie diskutieren verschiedene Theorien zum Europäischen Rat,

Beispiel: Zusammenhang von Phänomen und Ursache erforschen: Sie analysieren den Sturz der Allende Regierung und stellen Ursachen und Hintergründe dar,

Beispiel: Zusammenhang von Ursache und Wirkung erforschen: Sie erforschen die Auswirkungen der Privatisierung von Unternehmen in Osteuropa nach der Wende,

Beispiel: Ereignisse in ihren Kontext einordnen: Sie beschreiben und gewichten die Bedeutung der „Troubles" (1968-1974) im Kontext der britischen Nordirlandpolitik,

Beispiel: Phänomene in ihren Kontext einordnen: Sie erläutern anhand einer Kurzgeschichte von Heinrich Böll den programmatischen Neuansatz der Literatur nach 1945,

Beispiel: Funktion bestimmter Elemente in einem übergreifenden Zusammenhang erklären: Sie analysieren die Rolle der EU im internationalen System,

oder: Sie interpretieren die Rolle des Narren in Shakespeares Dramen.

Beispiel: Phänomene in aufsteigender oder absteigender Linie ordnen:

Sie stellen Formen der Unternehmenskonzentration nach dem Grad ihrer gegenseitigen Annäherung dar (Interessengemeinschaft, Kartell, Syndikat, Konzern, Fusion/Trust).

Wenn Sie Ihr Wissen so auf die eine oder andere Weise strukturiert haben, gewinnen Sie eine brauchbare Übersicht, die sich leicht merken lässt. Wenn Sie jedes Item noch zusätzlich mit einem sprechenden Symbol markieren, prägt sich dieses Bild sicher in Ihrem Gedächtnis ein.

Nachdem Sie sich Fakten, Zusammenhänge und Argumente erarbeitet haben, müssen Sie Ihr Wissen in Ihrem Denken abrufbar verankern. Sie können dabei aus einer ganzen Palette von Lernstrategien auswählen und unterschiedliche Wege ausprobieren, um *Ihre* Lieblingsstrategie zu entdecken. Manchmal eignet sich auch die *eine* Strategie besonders gut für *einen* bestimmten Stoff, ein *anderes* Wissensgebiet aber verlangt nach *anderen* Methoden. Variieren Sie ruhig Ihre Art zu lernen und probieren Sie unterschiedliche Lernkanäle aus. Bei schwierigen Zusammenhängen ist es am besten, *mehrere* Lernkanäle gleichzeitig zu nutzen.

Lernstrategien passend zum Stoff einsetzen

Überprüfen Sie in jedem einzelnen Fall, ob der Lernaufwand dem Lernergebnis angemessen ist. Das bedeutet: wenn eine Information für Ihr Spezialgebiet sehr wichtig ist, lohnt sich die Mühe, einen geeigneten Lernkanal zu suchen und die Information lerngerecht aufzubereiten. Wenn Sie die Erfahrung machen, dass Sie sich eine wichtige Information auf dem leichtesten Lernweg nicht einprägen können, dann sollten Sie unterschiedliche Lernstrategien einsetzen, um Ihr Ergebnis zu verbessern. Probieren Sie aber in jedem Fall immer zuerst den Lernweg aus, der Ihnen am leichtesten fällt und der am wenigsten Aufwand erfordert.

immer zuerst den leichtesten Lernweg ausprobieren

In der folgenden Übersicht sehen Sie, wie eine neue Information vom Lesen über das Hören und Sehen bis zum Anwenden immer effektiver in unser Gedächtnis aufgenommen wird:

Abbildung 1: Behaltensleistung beim Lernen

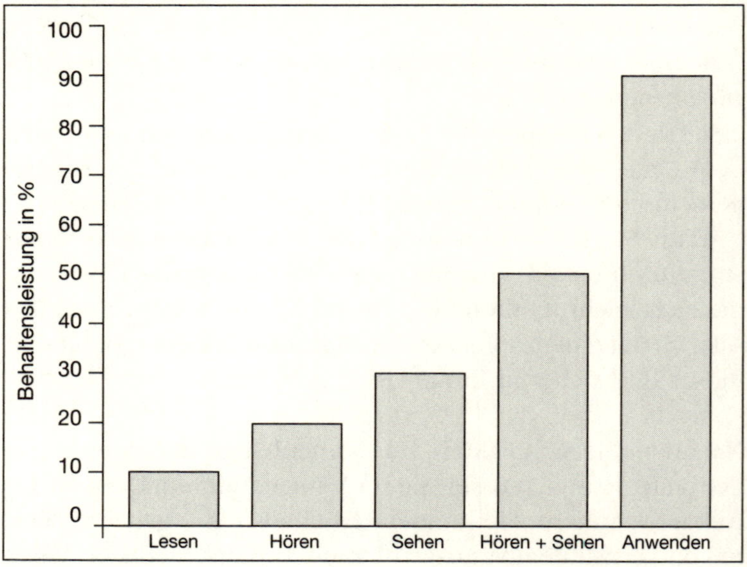

Wenn Sie also ein besonders schwieriges Themengebiet bearbeiten, setzen Sie unterschiedliche Lernstrategien ein und unterstützen Sie so Ihr Gedächtnis durch die mehrfache Verankerung der Wissensmodule.

Die folgenden Lernstrategien sind für das Lernen von Prüfungswissen besonders nützlich. Sonstige Lerntechniken, die für Ihren Lernprozess nicht hilfreich sind, werden Sie hier nicht finden. Da Sie sich weder Kochrezepte noch Einkaufslisten noch gar eine Ansammlung sinnloser Wörter in einer vorgeschriebenen Reihenfolge einprägen wollen – solche Beispiele finden Sie mit Vorliebe in der Ratgeberliteratur! – konzentrieren wir uns in diesem Buch auf Hilfestellungen, Übungen und Beispiele aus Ihren Lernfeldern.

2. Mit Logik lernen

2.1 Chronologie

Verankern Sie Ihr Wissen, indem Sie es nach seinen logischen Strukturen ordnen: gliedern Sie z.B. einen Entwicklungsprozess chronologisch. Die einzelnen Phasen der Chronologie können Sie dann farbig absetzen und sich so den Ablauf besser einprägen.

zeitliche Abläufe in Phasen gliedern

Für einen längeren historischen Ablauf können Sie einen Zeitenkreis zeichnen, in den Sie die markanten Daten eintragen und sie eventuell noch mit Farben/Symbolen wirkungsvoll stützen.

Zeitenkreis

Abbildung 2: Geschichte Nordirlands 1967-1974

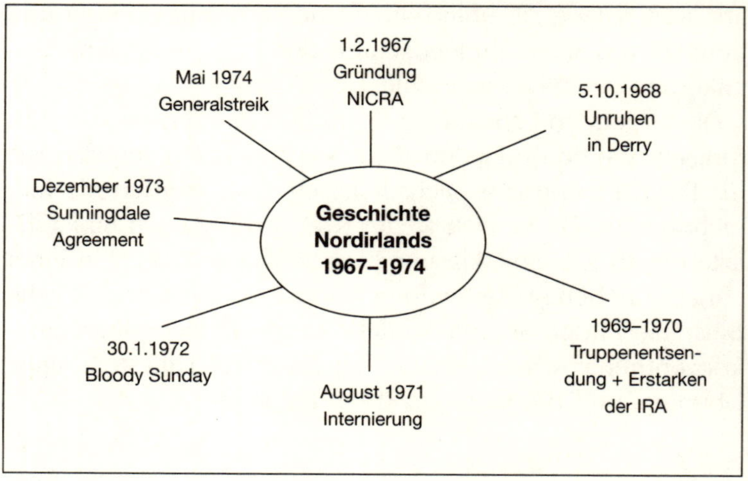

2.2 Analogie

Ähnlichkeiten prägen sich leicht ein: entweder liegen diese Ähnlichkeiten schon im Stoff selber oder Sie stellen Ähnlichkeiten her, indem Sie Vergleichsmerkmale finden. Diese Vergleichsmerkmale können logisch begründet sein (z.B. unterschiedliche Gründe für den Ausbruch des Ersten Weltkriegs) oder durch Vergleiche hergestellt werden.

durch Vergleichsmerkmale Ähnlichkeiten finden

Wenn Sie Entwicklungen in Ihrem Fachgebiet analysieren, so stoßen Sie immer wieder auf ähnliche Phänomene, die sich aus unterschiedlichen Ursachen ableiten lassen. Ordnen Sie diese Phänomene in Ihrer Wissensübersicht einander zu, indem Sie *ein* Phänomen mit seinen vielfältigen Ursachen zusammen abbilden.

ein Phänomen mit unterschiedlichen Ursachen

Nehmen wir an, Sie untersuchen die Ursachen von Waldschäden in Europa. Sie arbeiten vier verschiedene Ursachen heraus, die für Waldschäden verantwortlich sind:

- Luftverunreinigung
- Nährstoffverarmung der Böden
- Bodenübersäuerung
- Klimaveränderungen.

Diese Ursachen stellen Sie als parallele Stränge dar, um sichtbar zu machen, dass sie eine gemeinsame Wirkung hervorbringen.

Abbildung 3: Waldschäden

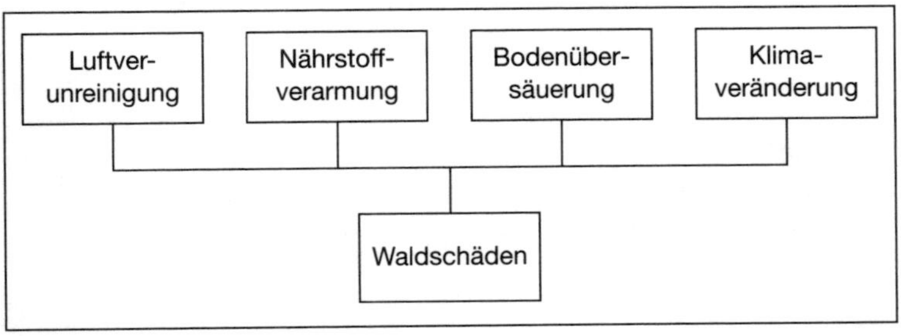

Je nach Fragestellung können Sie umgekehrt auch graphisch darstellen, wie *ein und dieselbe* Ursache zu unterschiedlichen Konsequenzen führt.

eine Ursache mit unterschiedlichen Konsequenzen

Wenn Sie die Wirkungen des sauren Regens auf Pflanzen untersuchen, so stellen Sie unter anderem folgende Konsequenzen fest:

- Auswaschung von Nährelementen durch Versauerung
- Freisetzung toxischer Mineralien im Boden
- Gestörte Aufnahmemechanismen der Pflanzen durch veränderte bodenchemische Bedingungen
- Wurzelschäden.

Diese Vorgänge können Sie wiederum graphisch darstellen als unterschiedliche Folgen *einer* Ursache.

Abbildung 4: Saurer Regen

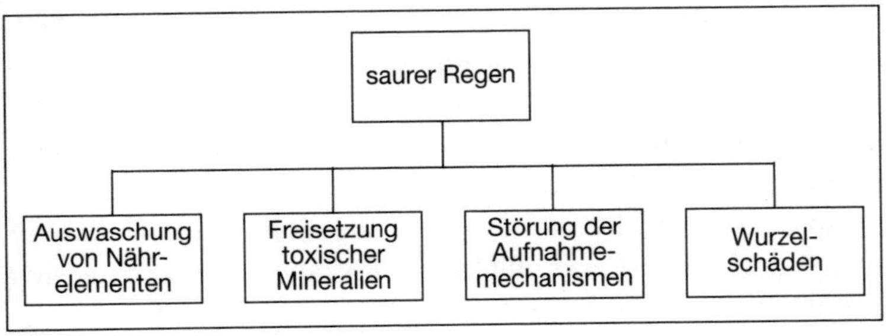

Eine Ordnung nach Ähnlichkeiten gelingt in allen Arbeitsgebieten: Sie können Bäume nach ihrer Blattform in Familien zusammenfassen, Vegetationszonen nach Klimatypen, Krankheitsbilder nach gemeinsamen Ursachen oder ähnlichen Symptomen. Entscheidend ist dabei nur, dass Sie vergleichbare Merkmale finden, die für die verglichenen Gegenstände tatsächlich kennzeichnend sind.

ÜBUNG
Machen Sie sich das Denken in Analogien zunutze, indem Sie z.B. folgende Themen in einer Zeichnung mit parallelen Ursachesträngen darstellen:
Die Ursachen der Weltwirtschaftskrise in den 1920er Jahren oder:
Die Ursachen der Studentenunruhen in den 1960/70er Jahren in der BRD.

In ähnlicher Weise können Sie eine Ursache und ihre unterschiedlichen Folgen in Parallelsträngen skizzieren:
Die Folgen der Hospitalisierung für die kindliche Entwicklung oder:
Die Folgen des Lean-Management für Unternehmen.

Versuchen Sie nun, Ihr eigenes Themengebiet in parallelen Phänomen-Ursachen-Skizzen oder in Ursache-Wirkungen-Skizzen aufzubereiten.

2.3 Assoziationen

Neues mit Bekanntem verbinden

Wenn Sie etwas Neues lernen wollen, das auf den ersten Blick keine Verwandtschaft mit Ihrem aktuellen Wissen hat, verknüpfen Sie diese neuen Informationen mit einem bereits bekannten Phänomen. Bilden Sie z.B. aus mehreren neuen Vokabeln einen Satz. Dieser Satz sollte einen Vorgang oder einen Zustand beschreiben, den Sie sich leicht vorstellen können. Nehmen wir an, Sie wollen sich die englischen Vokabeln „twig“, „pavement“ und „illiterate“ einprägen. Denken Sie sich einen Satz aus, der diese drei Wörter verbindet, z.B.: „The illiterate beggar sleeps on the pavement under a twig“. Stellen Sie sich dieses Bild genau vor und sprechen Sie sich den Satz laut vor. Beschreiben Sie anschließend das Bild laut, indem Sie die neu gelernten Vokabeln verwenden.

Assoziationen können aber auch Bilder miteinander verknüpfen: Wenn Sie den bioökologischen Begriff des „Funktionskreises“ erklären wollen, müssen Sie die Komponenten des Ökosystems darstellen, die einen direkten Einfluss auf Leben unterschiedlicher Art ausüben. Klima, Wasser und Nahrung, Versteck, Feinde, Artgenossen. Sie stellen sich etwa ein Tier vor, das gerade unter tropischer Sonne Wasser und Nahrung zu sich nimmt (Klima + Wasser und Nahrung). Nach der Nahrungsaufnahme zieht es sich in sein Versteck zurück (Versteck). Vor seinem Versteck erscheint plötzlich ein anderes feindliches Tier (Feinde). Während das feindliche Tier vor dem Versteck lauert, sammeln sich im Hintergrund andere Tiere der gleichen Spezies (Artgenossen). Jetzt haben Sie alle fünf Komponenten des Funktionskreises beschrieben, indem Sie immer zwei Bilder miteinander verknüpft haben. Diese Verknüpfungstechnik können Sie auf beliebige andere Wissensmodule anwenden, die sich miteinander verknüpfen lassen.

Bilder miteinander verknüpfen

2.4 Gegensätze

Wenn sich Ihr Wissen in Gegensatzpaaren fassen lässt, können Sie diese Paare als kleinste Lerneinheit nehmen. Schritt für Schritt prägen Sie sich ein Gegensatzpaar nach dem anderen ein und bauen so eine Argumentationsstruktur in Ihrem Kopf auf.

Gegensatzpaare bilden

Wenn Sie sich die Unterschiede zwischen einer offenen und einer geschlossenen Dramenform einprägen wollen, lernen Sie nicht jede Dramenform für sich, sondern beide im Vergleich:

geschlossen	*offen*
Einheit der Handlung	mehrere Handlungsstränge
Zeiterstreckung	Augenblick
einheitlicher Raum	Ortsfülle

Denken Sie bei Ihrer Übersicht an zwei Dramen, die Sie gut kennen, und verbinden Sie jedes Merkmal mit einem konkreten Beispiel. Wenn Sie die Merkmale dann noch zusätzlich mit einem prägnanten Symbol versehen, können Sie sich auch eine längere Übersicht leicht merken.

Gegensätze mit Beispielen verbinden

In ähnlicher Weise lassen sich die z.B. in der Soziologie im Themenbereich „Handlungstheorie" die Orientierungsalternativen („pattern variables" nach T. Parsons) in einem Gegensatzschema fassen:

Universalismus — Partikularismus
d.h. die Beurteilung von Personen/Situationen erfolgt entweder nach einem allgemein gültigen Standard oder nach besonderen Kriterien

Leistungsorientierung — Zuschreibung
d.h. ein Ergebnis wird nach der erbrachten Leistung bewertet oder nach der Herkunft des Handelnden, z.B. aus einer angesehenen Familie

Spezifizität — Diffusität
Erwartungen werden entweder situationsspezifisch entwickelt oder nach einem allgemeinen unscharfen Kriterium ohne situativen Bezug

Affektivität — Neutralität
In der Handlungsorientierung ist die Äußerung von Emotionen entweder möglich oder ausgeschlossen.

Auch viele andere Themenbereiche können Sie übersichtlich in Gegensätzen darstellen: Wahlsysteme, Regierungsformen, Organisationsstrukturen, Vor- und Nachteile unterschiedlicher Entwicklungen und Phänomene.

Gegensätze als „Geländer" nutzen

Gegensätze unterstützen das Lernen aber auch, wenn sie nicht im Material vorgegeben sind, sondern als „Geländer" hinzugefügt werden. So kann sich der Anfänger das für Deutsche verblüffende italienische Wort „caldo" (=warm) leichter merken, wenn er sich einprägt „caldo ist nicht kalt".

Prüfen Sie, ob sich eines Ihrer Themengebiete in Gegensätzen fassen lässt. Arbeiten Sie dann alle Komponenten heraus, die vergleichbar sind.

2.5 Überschriften und Leitbegriffe

Wenn Sie Ihre Argumentation mit Überschriften versehen, fällt es Ihnen leichter, sich an die unterschiedlichen Kapitel Ihres Themas zu erinnern.

Mit Hilfe von Leitbegriffen gliedern Sie Ihr Material nach einer inneren Ordnung. Dabei wählen Sie zentrale Termini, um die wichtigsten Argumente treffend zu benennen. Sie könnten z.B. eine längere Argumentation zunächst durch Überschriften unterteilen und anschließend den roten Faden durch Leitbegriffe markieren.

längere Zusammenhänge durch Überschriften gliedern

Nehmen wir an, Sie bearbeiten das Thema „Wissenschaftsjournalismus" mit dem Schwerpunkt „Wissenschaft im Radio". Als Überschriften und Leitbegriffe bieten sich an:

- *Aufbau*: Schritt für Schritt, Abwechslung, Assoziation oder roter Faden, Pointe oder Klammer, Spannung,
- *Sprache*: der erste Satz, Wiederholungen, Bilder, Erläuterungen, Zusammenfassungen,
- *O-Ton*: Zeitzeugen, Interviewpartner, Schnitt.

Wenn Sie jetzt noch ein konkretes Beispiel (Sendung) im Kopf haben, können Sie alle Kategorien und Merkmale mit diesem einen Beispiel verbinden und so Ihre Erinnerung stärken.

Leitbegriffe stützen die Erinnerung

ÜBUNG

Verhaltensforscher haben wichtige Determinanten des Konsumentenverhaltens analysiert. Ordnen Sie diese Merkmale nach Überschriften und Leitbegriffen:

Emotion, Produktwahl, Kaufentscheidung, Aufnahme von Information, Motivation, Wahrnehmung, Lernen als Erwerb von Produktwissen, Massenkommunikation., Aktivierungsmuster, psychische Determinanten, Einstellung, Gedächtnis, Einfluss von Gruppen, Kultur und Subkultur, kognitive Prozesse, Produktbeurteilung, Konsument und Umwelt.

2.6 Strukturplan

In einem Strukturplan werden die durch Überschriften und Leitbegriffe gebildeten Kategorien sichtbar gemacht. Ein solches Strukturschema ist oft eingängiger als ein bloßes Exzerpt.

Strukturschema statt Exzerpt

Wenn Sie wissen wollen, welche Faktoren die Standortentscheidungen von Unternehmen bestimmen, könnten Sie für den Faktor „Absatz" folgendes Strukturschema zu Hilfe nehmen:

Abbildung 5: Standortentscheidungen: Absatz

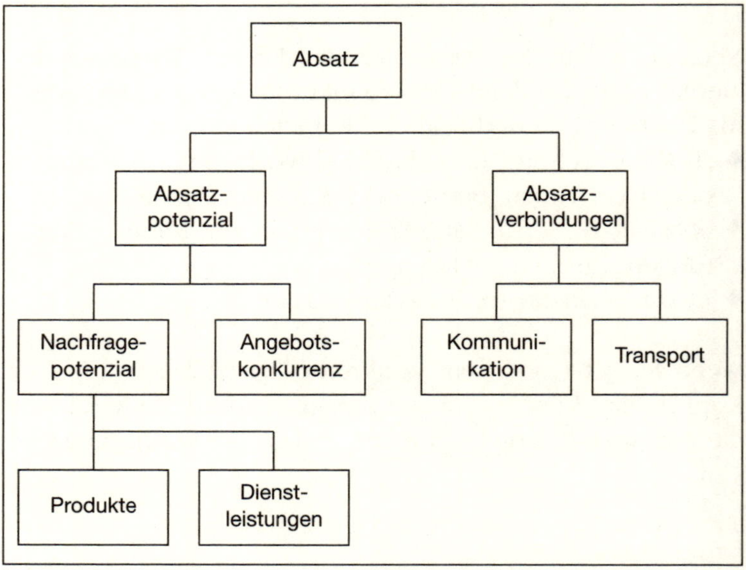

3. Mit Bildern lernen

3.1 Mindmap

Den Umgang mit Mindmaps haben wir bereits im 5. Kapitel erläutert. Dort ging es darum, sich komplexe Zusammenhänge durch eine übersichtliche Skizze verständlich zu machen. Jetzt sollen Sie mit Hilfe des Mindmaps das neue Wissen in Ihrem Gehirn verankern. Die graphische Darstellung und Konzentration des Wissens auf wenige Leitwörter (= chunks)

Wissen verankern mit Mindmaps

erleichtert das Lernen. Jede Gedankenblase in Ihrem Mindmap enthält *ein* Leitwort, hinter dem sich eine größere Anzahl von zugehörigen Ideen verbirgt. Sobald Sie dieses *Chunk* aufrufen, werden die angelagerten Ideen mit reproduziert. Für Ihr Lernen bedeutet das: nach einiger Übung und Konzentration müssen Sie nur noch wenige Leitwörter auswendig lernen. Diese Leitwörter lassen dann die Ideen und Argumente, die zu ein und derselben Kategorie gehören, vor Ihrem inneren Auge auftauchen. Prägen Sie sich also zunächst die Chunks mit den dazu gehörenden Ideen ein. Geben Sie Ihrem Gedächtnis nach dem Lernen für jedes Chunk jeweils 60 Sekunden Zeit, um sich das neue Wissen einzuprägen.

Lernen mit Chunks

Nehmen wir einmal an, Sie beschäftigen sich mit Sigmund Freuds Traumanalyse. Wie ein Mindmap zu diesem Thema aussehen könnte, sehen Sie in Abbildung 6.

Sobald Sie das nötige Wissen gespeichert haben, malen Sie ein neues Mindmap, in dem nur noch die Chunks erscheinen. Überprüfen Sie nun, ob das Aufrufen der Chunks tatsächlich auch die angelagerten Ideen reproduziert (vgl. Abbildung 7).

Wenn Sie sich einige *Chunks* besonders schlecht merken können, versuchen Sie, Ihre Erinnerung durch Symbole und Zeichen zu stützen. Je ausgefallener diese Bilder sind, um so leichter kann man sie sich merken. Allerdings sollten Sie dieses Hilfsmittel sparsam verwenden, damit es seine Wirkung voll entfalten kann.

Zeichen und Symbole

Abbildung 6: Traum nach S. Freud

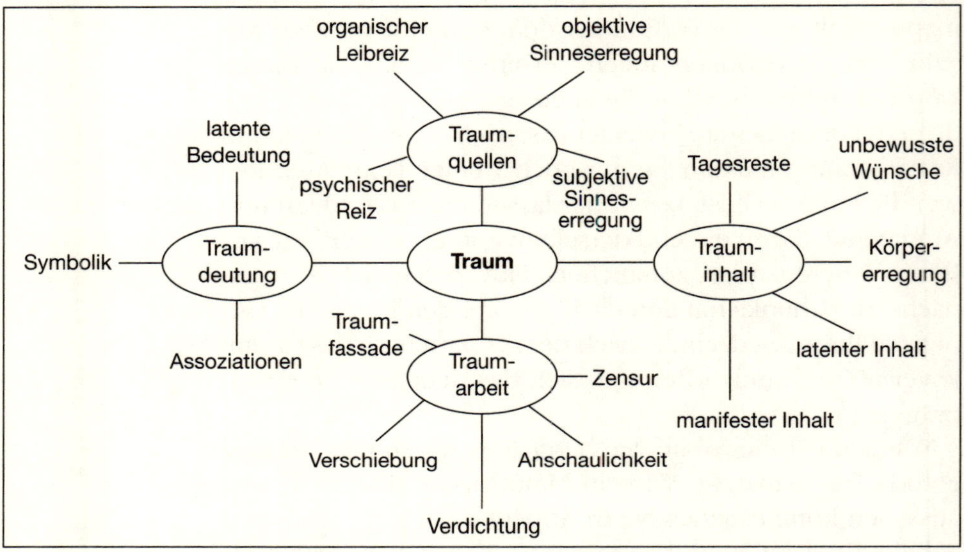

Abbildung 7: Chunks zu Traum nach S. Freud

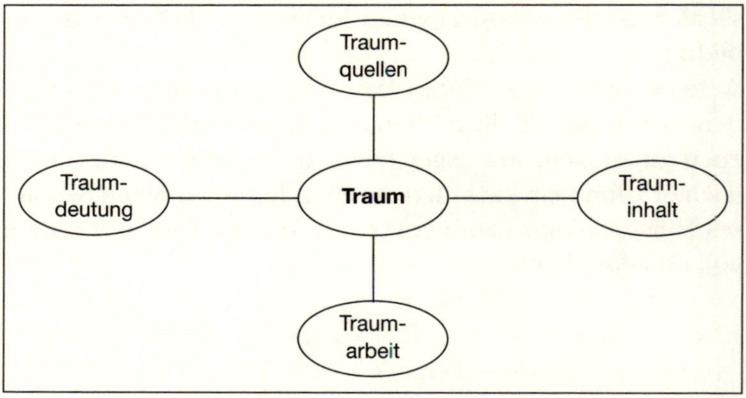

3.2 Skizze

Skizzen anfertigen

Stellen Sie sich Zusammenhänge als *Skizzen* vor. Malen Sie diese kleinen Skizzen auf und beschreiben Sie sie anschließend *laut*. Bilder, die man sich einmal *erzählt* hat, bleiben besser haften.

Abbildung 8: Kosmologische Modelle

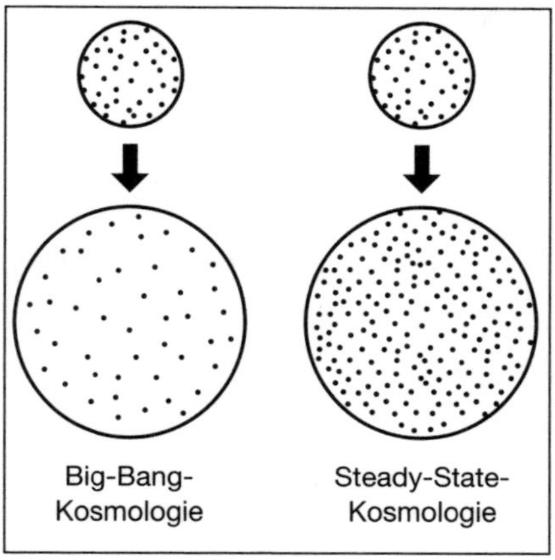

Die Abbildung zeigt schematisch zwei unterschiedliche kosmologische Modelle: nach dem Big-Bang-Modell (Urknall) soll das Universum ‚auf einen Schlag' entstanden sein und noch heute expandieren – nach dem Steady-State-Modell bleibt das Universums immer gleich in Zeit und Raum. Beide Modelle hängen von der Materiedichte im expandierenden Raum ab. Die kleinen Kreise in der Abbildung sind Ausschnitte aus dem Universum, die Punkte stellen die Galaxien dar. In der Big-Bang-Theorie führt die Expansion der Galaxien zur Verdünnung der Materiedichte (großer Kreis) – in der Steady-State-Theorie bleibt die mittlere Materiedichte durch ständige Neuschöpfung auch während der Expansion gleich.

Sie können Ihr Wissen auch in einer freien Kritzelzeichnung/Graphik darstellen. Entwerfen Sie eine möglichst einfache einprägsame Skizze, die Sie sich gut merken können.

freie Kritzelzeichnung

Nehmen wir an, Sie wollen sich den Lern- und Behaltensprozess des Gehirns einprägen. Als Grundlage wählen Sie Frederic Vesters Buch „Denken, Lernen, Vergessen". Abbildung 9 stellt die Interdependenz der einzelnen Faktoren in einer Kritzelzeichnung sichtbar dar:

Ein bestimmter Lerntyp ist nach Vester geprägt durch Erbanlagen und Umwelteinflüsse. Jeder Lerner nimmt neue Informationen durch verschiedene Lernkanäle unterschiedlich effektiv auf. Die eingehenden Informationen wecken Assoziationen einerseits und Emotionen andererseits. Je nachdem, welche Assoziationen bzw. Emotionen gebildet werden, fördern sie die Lernmotivation und die Aufmerksamkeit. Dabei beeinflussen die Assoziationen ihrerseits auch die Entwicklung der Emotionen. Eine positive Motivationslage fördert wiederum die Bildung und Aktivierung vielfältiger Assoziationen. Zusammen mit der entsprechenden Aufmerksamkeit führt die positive Motivation zum Lernerfolgserlebnis. Ein sol-

Abbildung 9: Kritzelzeichnung

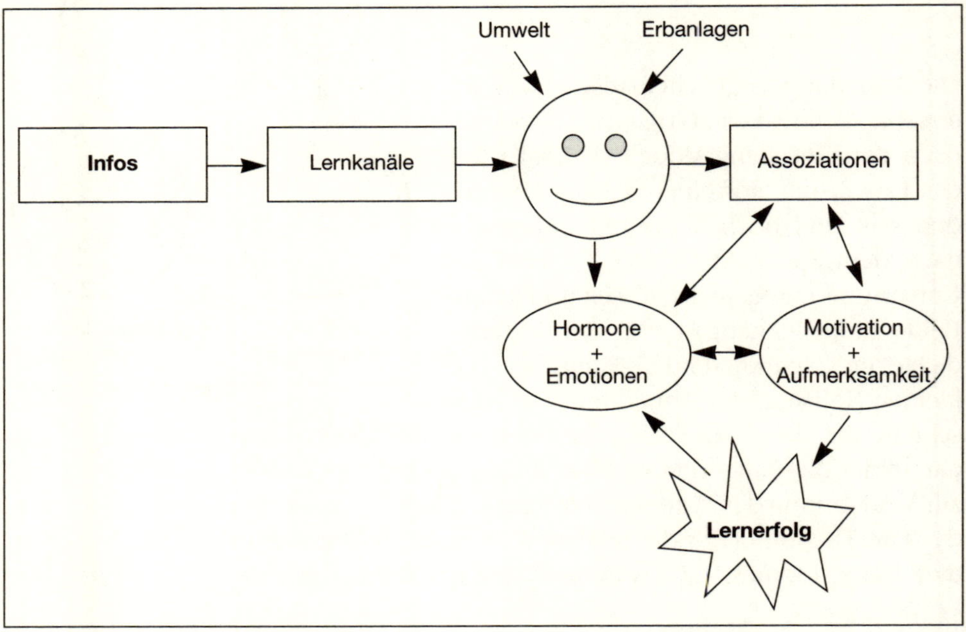

ches Erfolgserlebnis wirkt wiederum stimulierend auf die emotionale Verfassung des Lerners zurück.

Diese vielfältigen Relationen lassen sich in unserer Kritzelzeichnung übersichtlich abbilden und prägen sich als Bild leicht ein.

3.3 Diagramm

Nutzen Sie jede Form der einfachen Repräsentation durch Diagramme, um verschiedene Größen (Mengen, Häufigkeit) zueinander in Beziehung zu setzen und sie sich so leicht zu merken. Liniendiagramme, Säulendiagramme und Balkendiagramme zeigen bestimmte Größenverhältnisse übersichtlicher als bloße Tabellen und markieren zusätzlich Veränderungen in ihrem zeitlichen Verlauf. Prüfen Sie, welches Diagramm sich für welchen Inhalt am besten eignet. Welches Diagramm lässt sich schneller entziffern und prägt sich entsprechend leichter ein?

Welches Diagramm für welchen Inhalt?

Für Entwicklungen *eines* Phänomens, aber auch für Vergleiche *mehrerer* Verläufe bietet sich das **Liniendiagramm** an. Unterschiede lassen sich hier mit einem Blick erfassen.

So zeigt die Entwicklung des Preises von Rohkaffee im Vergleich zu Röstkaffee, dass die Preise für Rohkaffee und damit die Exporterlöse für Entwicklungsländer extrem schwanken (Witterung, Schädlinge, Überangebot). Produzenten und Zwischenhändler können dagegen Ausgleichslager für Röstkaffee anlegen und so den Preis relativ stabil halten.

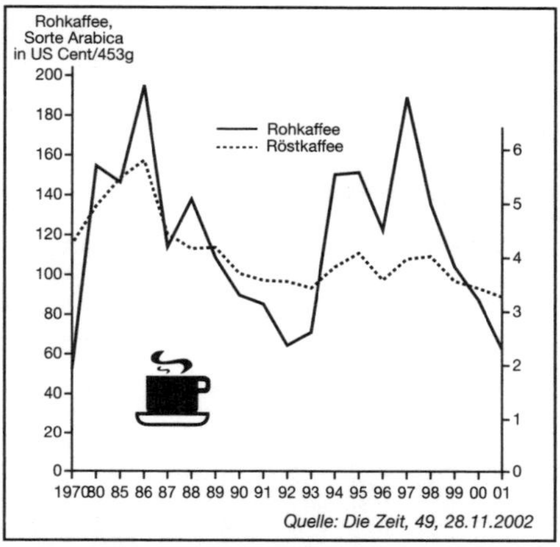

Abbildung 10: Liniendiagramm: Entwicklung des Preises von Rohkaffee und Röstkaffee

Zur Darstellung von Entwicklungen eines homogenen Phänomens eignen sich auch Balkendiagramm (waagerecht) und Säulendiagramm (senkrecht). Beide unterscheiden sich nur durch ihre Ausrichtung.

Im **Balkendiagramm** zur Umsatzverteilung im Buchhandel z.B. sehen Sie sofort die Gewichtsverteilung.

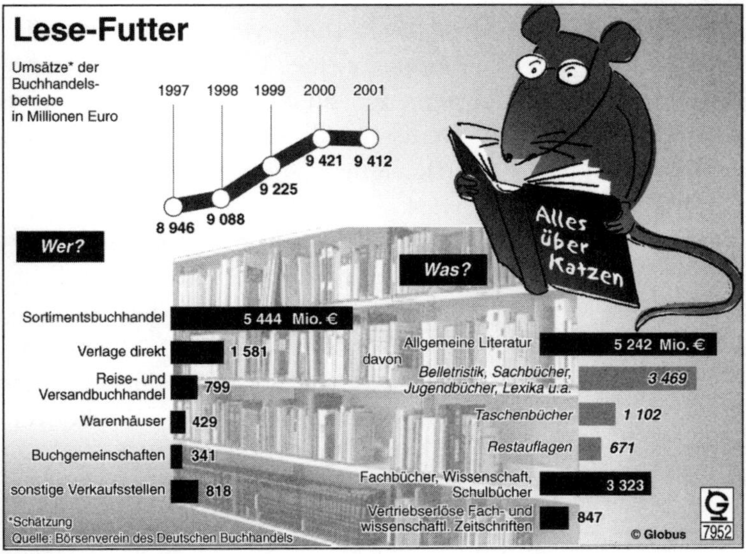

Abbildung 11: Balkendiagramm: Umsatzverteilung im Buchhandel

Im **Säulendiagramm** zur Entwicklung der Beschäftigtenzahl der Bekleidungs-/Textilindustrie in Deutschland, wird sichtbar, dass zwischen 1970 und 2001 die Zahl der Arbeitsplätze mar-

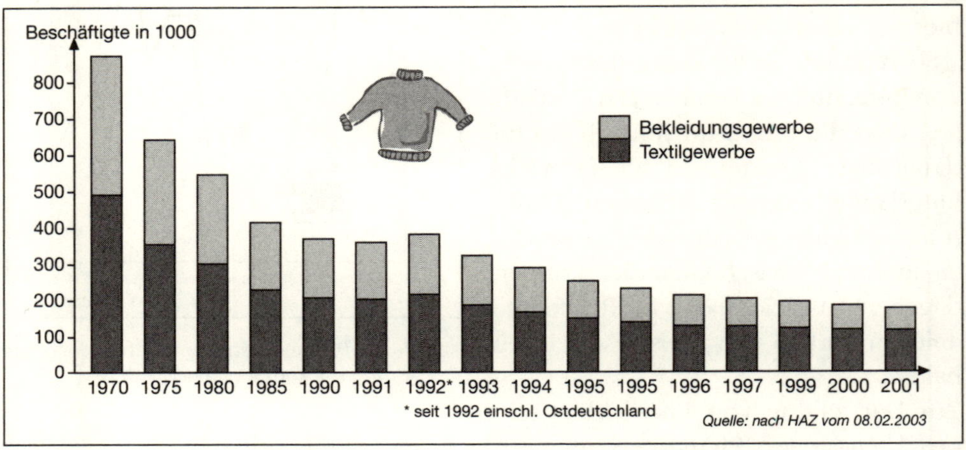

Abbildung 12: Säulendiagramm: Entwicklung der Beschäftigtenzahl der Bekleidungsindustrie in Deutschland

kant abgenommen hat. Wir haben es hier mit einem arbeitsintensiven Sektor zu tun, der hohe Lohnkosten verursacht. Deshalb verbleibt oft nur der Hauptsitz eines Unternehmens (Management, Entwicklung, Vertrieb) in Deutschland, während die Produktion in kostengünstigere Länder ausgelagert wird.

Im **Kreisdiagramm** stellt jedes Segment einen Teilwert dar, der gesamte Kreis also die Summe der Teilwerte und somit das Ganze. Wenn Sie die einzelnen Segmente farbig absetzen, können Sie sich die Größenverhältnisse gut merken. Das größte Segment beginnt immer bei „Null Uhr".

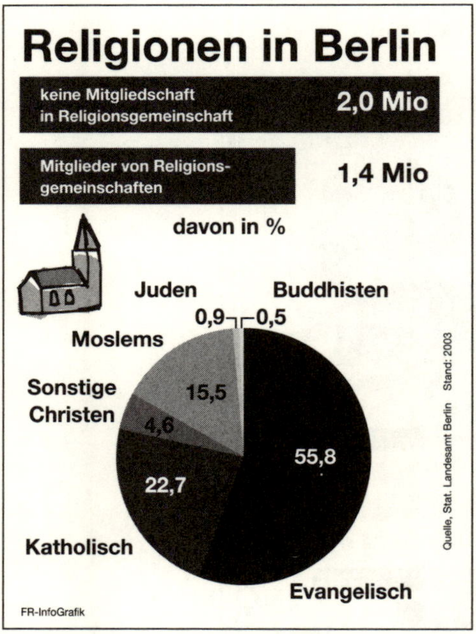

Abbildung 13: Kreisdiagramm: Religionen in Berlin

So sieht man im Kreisdiagramm zu den Religionen in Berlin die Dominanz der Protestanten, aber auch den bedeutenden Anteil von Moslems.
Im **Flussdiagramm** können Sie *lineare* Abläufe übersichtlich skizzieren. Wenn Sie z.B. die Entstehung von Emotionen im Alltagsleben darstellen wollen, können Sie folgendes Flussdiagramm zeichnen:

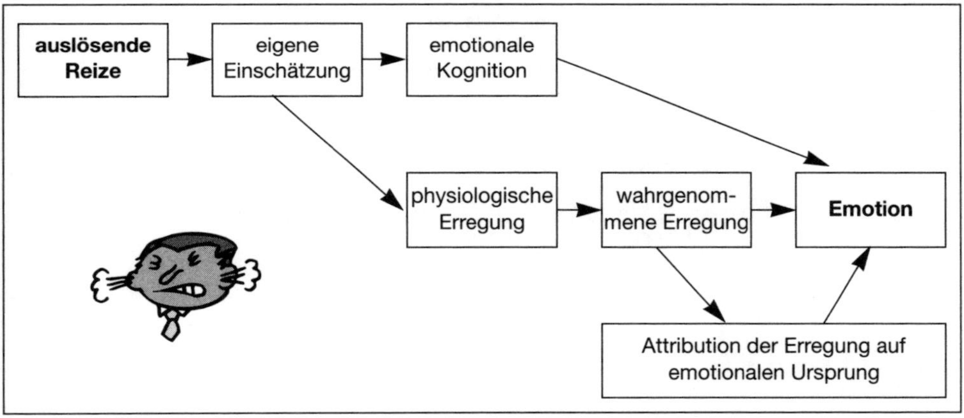

Abbildung 14: Flussdiagramm: Entstehung von Emotionen im Alltagsleben

Mit einem **Organigramm** können Sie Strukturen innerhalb einer Organisation sichtbar machen. In der Organisationsstruktur eines mittelgroßen Familienunternehmens z. B. herrscht eine funktionale Differenzierung: der Eigentümer/Unternehmer entscheidet über strategische Grundsatzfragen wie Produktpalette und Märkte. Leitende Angestellte sind für funktionale Aufgaben wie Betriebsleitung, Buchführung, Einkauf, Verkauf zuständig. Auf der operativen Ebene sind Vorarbeiter für die Produktherstellung und die Distribution verantwortlich.

Abbildung 15: Organigramm: Organisationsstruktur eines mittelgroßen Familienunternehmens

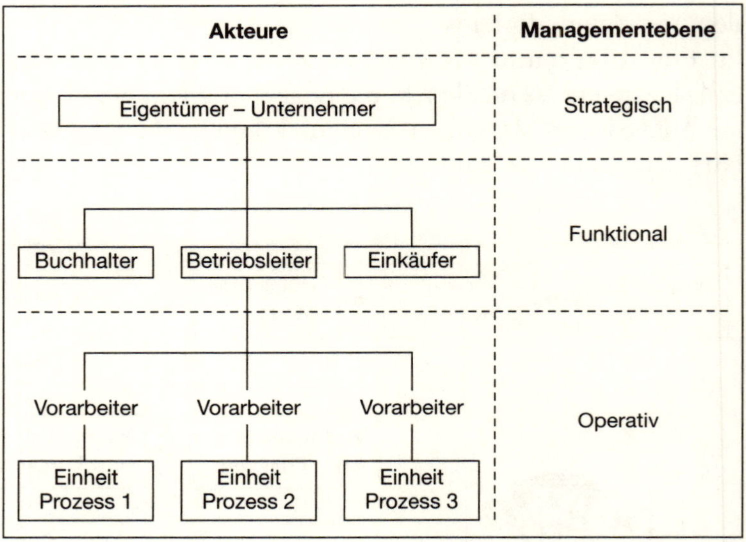

3.4 Denkfoto

„Dia-Show" mit Denkfotos

Ausgestaltete Bilder, die eine oder mehrere Szenen wiedergeben, nennen wir Denkfotos. Mit ihrer Hilfe können Sie sich unterschiedliche Items zu *einem* Thema merken. Sie können aber auch mit Denkfotos eine ganze „Dia Show" in Ihrem Kopf veranstalten, indem Sie mehrere Bilder hintereinander schalten. Die Abfolge der Bilder lässt einen ganzen Prozess vor Ihren Augen ablaufen.

Nehmen wir an, Sie bereiten sich im Fach BWL auf das Themengebiet „Human Resources" vor. Sie wollen sich speziell einprägen, welche gesetzlichen und tariflichen Lohnbestandteile für nicht geleistete Arbeit es in der BRD gibt. Dazu entwerfen Sie folgendes Denkfoto:

Beispiel Denkfoto

Unterm Weihnachtsbaum (Lohnfortzahlung für auf Arbeitstage fallende gesetzliche Feiertage) sitzen verschiedene Menschen zusammen. Einer von ihnen liegt krank im Bett (Lohnfortzahlung im Krankheitsfall), einer sitzt im Rollstuhl (Zusatzurlaub für Schwerbehinderte), eine Frau ist schwanger (Lohnfortzahlung aufgrund des Mutterschaftsgesetzes), einer zeigt gerade seine Urlaubsbilder, auf denen ein Ferienflieger zu sehen ist (Lohnfortzahlung im Urlaub).

Bei einer komplexeren Aufgabenstellung reihen Sie mehrere Bilder aneinander.

ÜBUNG
Nehmen wir an, Sie wollen sich die Kriterien für die Standortentscheidungen von Unternehmen einprägen und sich dabei auf die Sachziele konzentrieren. Sie unterscheiden zunächst Beschaffung, Produktion und Absatz. Anschließend prägen Sie sich die speziellen Kriterien der drei Bereiche ein, indem Sie für jeden Bereich ein eigenes Denkfoto entwerfen. Skizzieren Sie in Gedanken ein ganz konkretes Bild: Welches Unternehmen könnten Sie als Beispiel wählen? Welche Bedingungen müssten im Beschaffungssektor geprüft werden? Wie sehen diese Voraussetzungen konkret aus? Welche Bedingungen sind im Produktionssektor zu prüfen? Welche Merkmale werden im Absatzsektor geprüft? Sämtliche Kriterien sollten Sie sich anhand ein und desselben Beispiels einprägen.
Entwerfen Sie selber passende Denkbilder und führen Sie sich dabei in *einem* Durchlauf einmal den gesamten Prozess von der Beschaffung über die Produktion bis zum Absatz vor Augen.

Ihre Denkbilder können Sie noch durch emotional besonders ansprechende Bilder unterstützen: lebhafte und ungewöhnliche Szenen, lustige oder groteske Vorstellungen prägen sich leichter und dauerhafter ein.

Denkbilder durch ausgefallene Details unterstützen

3.5 Loci Technik

In die Reihe der bildgestützten Verfahren gehört auch die Loci Technik. Stellen Sie sich ein Haus, ein Zimmer, einen vertrauten Weg genau vor. Plazieren Sie an markanten Punkten Symbole für die Informationen, die Sie sich merken wollen. Dann gehen Sie in Gedanken den Weg durch das Zimmer, das Haus oder Ihre Stadt ab. Nach mehrmaligen Durchgängen werden Sie die geparkten Informationen an den ausgewählten Orten in der Reihenfolge Ihres Weges wiederfinden. Diese Technik eignet sich vor allem für Wissenselemente, die

Informationen an bekannten Orten parken

Sie in einer bestimmten Abfolge präsentieren müssen, aber auch für Module, die nicht an einen Ablauf gebunden sind.

Beispiel für Loci Technik

Stellen Sie sich vor, Sie wollen sich die Grundformen des Lehrens und Lernens einprägen. Fünf dieser Grundformen stützen sich auf unterschiedliche Wege der Wissensvermittlung: erzählen, vormachen, beobachten, lesen, schreiben. Sie merken sich diese fünf Verfahren, indem Sie sich z.B. Ihr Zimmer vorstellen und mit jeder dieser Mitteilungsformen einen charakteristischen Ort verbinden. An der offenen Tür steht z.B. ein Erzähler, der mit ausdrucksvoller Mimik und Gestik eine Geschichte vorträgt: *erzählen.* Sie betreten den Raum und sehen auf dem Stuhl an der Wand einen Turner, der langsam verschiedene Übungen ausführt: *vormachen.* Nun treten Sie ans Fenster: dort steht ein Kind und schaut durch ein Fernrohr ins Freie: *beobachten.* Jetzt gehen Sie weiter zur Couch; dort liegt eine Frau mit einem aufgeschlagenen Buch: *lesen.* Schließlich stehen Sie vor Ihrem Schreibtisch: dort sitzen Sie selber am PC oder vor einem Heft: *schreiben.* Wenn Sie diesen Rundgang einige Male in Gedanken gemacht haben, bleiben die fünf Formen der Wissensvermittlung fest in Ihrem Gedächtnis verankert.

Lernstoff konkret mit Orten verbinden

Die Verbindung von Ort und Detailwissen können Sie auch real unterstützen. So wie Schauspieler ihre Rollen lernen, während sie sich den Handlungsablauf und den Ort auf der Bühne vorstellen, an dem eine Szene spielen wird, können Sie Ihren Lernstoff an bestimmte Orte binden: hängen Sie einfach Ihr übersichtlich zusammengefasstes Wissen zu unterschiedlichen Lerngebieten (z.B. in einem Mindmap) an verschiedenen Orten auf (im Bad, über Ihrem Bett, in der Küche) und rufen Sie später mit dem jeweiligen Ort auch das dort niedergelegte Wissen ab. Probieren Sie es aus: es funktioniert!

Verankerung mit dem Fundort

Eine verwandte Spielart der räumlichen Verankerung haben Sie wahrscheinlich schon selber häufig erlebt: Sie erinnern sich an das Buch und die Seite, auf der Sie eine bestimmte Information gelesen haben. Oft wissen Sie sogar, in welchem Abschnitt – „links oben“ – die gesuchte Information stand.

Mit der Erinnerung an die „Fundstelle“ stellt sich das gesamte Wissen fast von selber ein, ohne dass Sie die Details in Ihrer Vorstellung „ablesen“ müssten. Die Verbindung der „Fundstelle“ – im wörtlichen Sinne – genügt als Auslöser, um Ihr Gedächtnis zu aktivieren.

3.6 Farben

Farben können Sie vielfältig mit anderen Merktechniken zusammen einsetzen. Im Mindmap können Sie mit Farben Strukturen verdeutlichen, indem Sie z.B. verwandte Leitwörter in derselben Farbe markieren. In Ihren Übersichtsskizzen können Sie zusammengehörende Begriffe mit Farben kennzeichnen und so logische Verknüpfungen deutlich machen.

Mindmaps durch Farben unterstützen

In chronologischen Abläufen lassen sich einzelne Phasen gut durch Farben von einander trennen und zugleich charakterisieren.

Abbildung 16: Nordirlandkonflikt

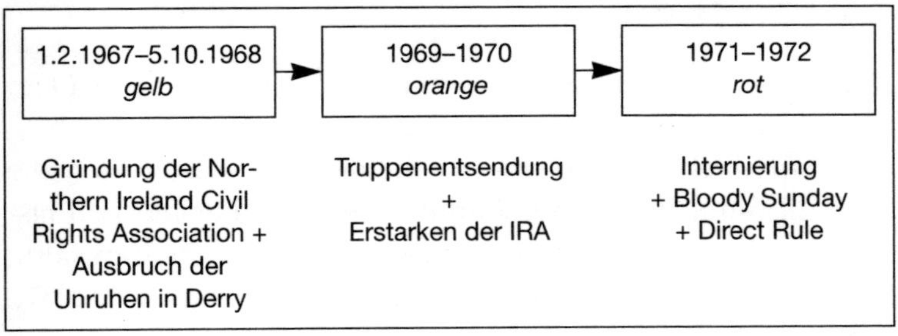

Zahlen kann man ebenfalls durch Farben zu Paaren verbinden und so eine längere Zahl gliedern. Wenn Sie zusätzlich diese Zahlenpaare rhythmisch und in der Tonhöhe variierend sprechen, verankern Sie auch schwierige Zahlenkombinationen oder Formeln sicher in Ihrem Gedächtnis.

Zahlen farbig markieren

4. Mit Tönen lernen

4.1 Laut vortragen

Sie sollten bei Ihrer Prüfungsvorbereitung das Gelernte immer wieder einmal laut vortragen. Oft stellen Sie erst beim mündlichen Vortrag fest, ob Sie Zusammenhänge flüssig und in einer sinnvollen Reihenfolge darlegen können und ob Ihnen Überleitungen von einem Argument zum folgenden gelingen. Bereiten Sie Kurzvorträge zu Ihrem Thema vor und erzählen Sie alles Wissenswerte auf einem langen Spaziergang den Bäumen und Blumen. Bewegung unterstützt nämlich wirkungsvoll Ihr Lernen und Erinnern.

Wissen laut vortragen

Fragen stellen

Stellen Sie sich selber Fragen und beantworten Sie sie laut. Stellen Sie sich dabei einen konkreten Zuhörer vor. Oder noch besser: Tragen Sie Ihr Wissen gleich einem realen Zuhörer vor.

4.2 Rhythmus

Nutzen Sie einprägsame Rhythmen als Gedächtnisstütze. Wenn man z.B. Zahlen rhythmisch vor sich hin spricht – wenn möglich paarweise – erscheinen Sie wie Wörter, die sich mit ihren unterscheidbaren Silben leichter merken lassen. Bei historischen Daten wenden wir die rhythmisierte Merkweise meist unbewusst immer schon an: 4/7/17/76 (amerikanische Declaration of Independence) oder 31/10/15/17 (Luthers Anschlag der 95 Thesen an der Schlosskirche zu Wittenberg).

Zahlen und Daten rhythmisieren

Begriffe und Leitwörter rhythmisch betonen

Aber auch Begriffe/Leitwörter lernt man sicherer, wenn man sie paarweise rhythmisch betont: so kann man sich etwa die wichtigsten südindischen Dynastien vor der islamischen Eroberung am besten paarweise rhythmisch betont merken:

„Pallavas / Chaulukyas
Cholas / Pandyas“.

4.3 Lieder, Verse

Neben dem Rhythmus spielen auch Reim und Melodie eine Rolle. Deshalb lassen sich Lieder und Verse gut als Gedächtnisstützen nutzen. Prägen Sie sich Leitsätze nach bekannten Melodien ein und nehmen Sie Kinderreime als Schablonen für eigene Merkverse. Kinderlieder lassen sich wegen ihrer einfachen Struktur und eingängigen Melodie besonders gut umdichten.

Leitsätze nach Melodien lernen

Merkverse finden

So kann man den Anfang des Liedes „Horch, was kommt von draußen rein“, als Gedächtnisstütze nutzen, um sich die Formationen der Erdzeitalter, hier speziell des Paläozoikums, einzuprägen. Aus dem Vers
„Horch, was kommt von draußen rein,
holla hi, holla ho“
wird in unserer Umdichtung:
„Kambrium, Silur, Devon,
Karbon, Perm ,
Karbon Perm“.
Die zweite Zeile wird hier nur wiederholt, um den Rhythmus zu stützen. Ebenso gut können Sie auch eingängige Melodien aus TV Sendungen oder aus der Werbung als Vorbilder wählen.

4.4 Satzmelodie

Versuchen Sie einmal, Ihren Wissensstoff mit unterschiedlichen Betonungen vorzutragen: laut und leise, dramatisch anschwellend und beschwörend flüsternd. Sie werden erfahren, dass sich die so markierten Passagen besonders leicht einprägen. Wenn Sie dann in Ihrem Gedächtnis diese Zusammenhänge aufrufen, werden Sie sich zugleich an Ihren Tonfall erinnern und mit dem Tonfall zusammen alle weiteren Informationen „hören“.

Wenn Sie sich etwa die Namen der sechs Quarks (Elementarteilchen der Materie) merken wollen, nehmen Sie einen Merkvers zu Hilfe und sprechen Sie ihn laut und rhythmisiert vor sich hin (fett gedruckt sind hier die Namen der Quarks):

Satzmelodie betonen

He went **up** and **down**
with **strange charm**
from **top** to **bottom.**

5. Mit Sprachspielen lernen

5.1 Reime

Merkverse wirken durch Reim und Rhythmus gleichzeitig. Zusätzlich kann man die Informationen noch durch Alliterationen (gleiche Anfangslaute) verstärken: Wollen Sie sich z.B. die menschlichen Hirnstromwellen merken, so können Sie folgenden Vers nutzen:

Alliterationen nutzen

Beta **b**ringt viel Energie
Alpha **a**ber Phantasie
Theta **T**ag und Traum vereint
Delta **d**ann den Tiefschlaf meint.

Mit diesem Vers haben Sie nicht nur eine Merkhilfe für die Reihenfolge der Hirnstromwellen, sondern zugleich eine Erinnerungsstütze für die unterschiedlichen Funktionen der verschiedenen Wellen: Betawellen kennzeichnen das bewusste Denken, Alphawellen zeigen Phantasietätigkeit an, Thetawellen sind beim Tagträumen oder beim Übergang vom Wachen zum Schlafen festzustellen und Deltawellen schließlich markieren den Tiefschlaf.

5.2 Akronym

originelle Akronyme ausdenken

Wenn eine Abkürzung im Zusammenhang gelesen ein Wort oder einen Satz ergibt, sprechen wir von einem Akronym. Originelle Akronyme lassen sich besonders leicht merken. Denken Sie nur an die beliebte Marketing Kurzformel für Werbestrategien „AIDA" = attention, interest, desire, action.

Merksatz aus Anfangsbuchstaben

Auch Merksätze können Ihr Wissen stützen. Wenn Sie sich die Reihenfolge der 9 Planeten des Sonnensystems nach ihrer Entfernung von der Sonne einprägen wollen, können Sie folgenden Merksatz zu Hilfe nehmen:

„**M**ein **V**ater **e**ntwickelt **m**öglichst **j**eden **S**amstag **u**nzählige **n**eue **P**rojekte". So erinnern Sie sich spielend an **M**erkur, **V**enus, **E**rde, **M**ars, **J**upiter, **S**aturn, **U**ranus, **N**eptun, **P**luto.

Jeder einzelne Buchstabe kann aber auch für ein Wissensmodul oder einen Leitbegriff stehen. So können Sie sich auch komplexe Übersichten wie Mindmaps oder Stichwortlisten merken. Auch hier werden Sie sich an lustige originelle Formulierungen besonders leicht erinnern.

Wenn Sie sich ein Mindmap zum Thema „Kommunikation in der Gruppe" einprägen wollen und dabei die Kommunikationstheorie von Ruth Cohn (Themenzentrierte Interaktion = TZI) zugrunde legen, brauchen Sie folgende Leitbegriffe: 1. Ich-Form wählen, 2. Fragen begründen, 3. Interpretieren vermeiden, 4. Verallgemeinerungen vermeiden, 5. Körpersignale beachten, 6. Störungen haben Vorrang,

Abbildung 17: TZI

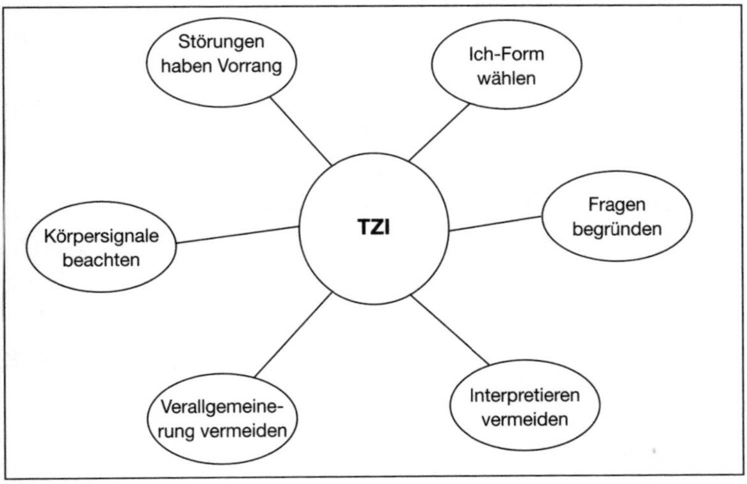

ÜBUNG
Die 6 Items der TZI lassen sich nicht ohne weiteres gut merken. Formen Sie deshalb als zusätzliche Gedächtnisstütze aus den Leitwörtern einen lustigen Satz!
Ihr Merksatz könnte z.B. heißen: „**I**m **F**ebruar **i**ntonieren **ver**rückte **K**ühe **s**tundenlang". Denken Sie sich noch einen anderen originellen Satz als Merkhilfe aus!

Merksatz aus Anfangsbuchstaben von Leitwörtern

6. Mit Geschichten lernen

6.1 Praxisbezug

Versuchen Sie, Ihr Wissen möglichst mit Ihrer Alltagspraxis zu verbinden. Erfinden Sie kleine Szenen, in denen dieses Wissen eine „praktische" Funktion gewinnt.

Szenen mit Praxisbezug

Wenn Sie z.B. bestimmte Gesetzesbestimmungen kennen müssen, konstruieren Sie einen Fall, an dessen Ablauf Sie sich die Gesetze und ihre Anwendung einprägen.

Wenn Sie sich etwa die unterschiedlichen Formen des Recyclings merken wollen, denken Sie sich zu jeder Form ein konkretes Beispiel aus:

anschauliche Beispiele

- Wiederverwendung ohne Gestaltänderung für denselben Verwendungszweck: Pfandflasche
- Weiterverwendung ohne Gestaltveränderung für einen anderen Verwendungszweck: Joghurtbecher als Vorratsdose
- Wiederverwertung durch Gestaltveränderung bei gleichartigen Produktionsprozessen: Altglas für Glasherstellung
- Wiederverwertung durch Gestaltänderung bei neuen Produktionsprozessen: Altkunststoffe werden zur Herstellung von Öl eingesetzt.

ÜBUNG
Üben Sie diese Anwendung auf konkrete Praxisfelder einmal an den unterschiedlichen Modellen der Arbeitszeitflexibilisierung. Finden Sie selber Beispiele für:
- Schichtarbeit
- Teilzeitarbeit
- Gleitende Arbeitszeit
- Flexible Arbeitszeit
- Kapazitätsorientierte variable Arbeitszeit.

6.2 Geschichten erfinden

Malen Sie sich kleine Geschichten aus, die Ihr Wissen in einen Kontext stellen. Fügen Sie verschiedene Wissensmodule in eine fiktive Handlung ein, um sich Abfolge und Eigenart dieser Module einzuprägen.

Wissensmodule in Geschichten einbinden

Um sich die Werbeerfolgskontrolle außer mit der Formel „AIDA“ (= attention, interest, desire, action) auch in ihrem Ablauf konkret einzuprägen, kann man sich folgende Geschichte vorstellen: der Single Andreas – schwarze Hose, schwarzes Hemd, legeres dunkelgraues Jackett – steht morgens und abends an der Straßenbahnhaltestelle, um zu seinem am Stadtrand geparkten Auto zu fahren. Bei jedem Warten auf die Straßenbahn fällt sein Blick auf das Werbeplakat für Flüssigwürze. Die grellen Farben und der peppige Slogan wecken Andreas' Aufmerksamkeit (Berührungserfolg: attention). Durch die Wiederholung (jeden Tag morgens und abends) und die Intensität des Kontakts (längeres Warten, mehrfaches Anschauen) wird ihm das Plakat vertraut. Im Autoradio hört er bei der anschließenden Heimfahrt den selben Werbeslogan in einem witzigen Dialog und erinnert sich dabei an das Werbeplakat. Auch der abendliche Fernsehspot verstärkt noch einmal seine Erinnerung und lässt ihn überlegen, ob Flüssigwürze für ihn persönlich in Frage käme (Erinnerungserfolg: interest). Als er sich später am Abend in seiner Singleküche ein schnelles Abendessen kocht, fällt ihm der Fernsehspot ein, in dem zwei Junggesellen mit der Flüssigwürze im Handumdrehen ein leckeres Menu zaubern. Andreas wünscht sich, er hätte jetzt auch so ein Fläschchen Zauberwürze (Interessenweckungserfolg: desire). Am nächsten Tag kauft er kurzentschlossen vor der Heimfahrt ein Fläschchen Flüssigwürze (Kauferfolg: action). Diese kleine Geschichte lässt sich natürlich noch weiter anschaulich ausmalen. Wichtig ist die Reihenfolge: an der Straßenbahnhaltestelle, im Auto und vorm Fernseher, in der Küche, im Supermarkt.

Beispielgeschichte

6.3 Bedeutung zuweisen

Manchmal müssen Sie sich Details merken, die Sie an kein Ihnen bekanntes Phänomen anschließen können. Durch Vergleiche lassen sich aber in fast jedem Arbeitsgebiet Ähnlichkeiten herstellen, die Ihre Erinnerung stützen. Stellen Sie diese Ähnlichkeiten, wenn möglich, graphisch dar.

bildliche Ähnlichkeiten entdecken

Die großen Seen der USA können Sie z.B. in vereinfachte geometrische Formen umsetzen. Ihre Lage zueinander erscheint dann wie ein Haus, unter dessen Fundament sich von rechts ein Keil schiebt.

Abbildung 18: Die große amerikanische Seenplatte

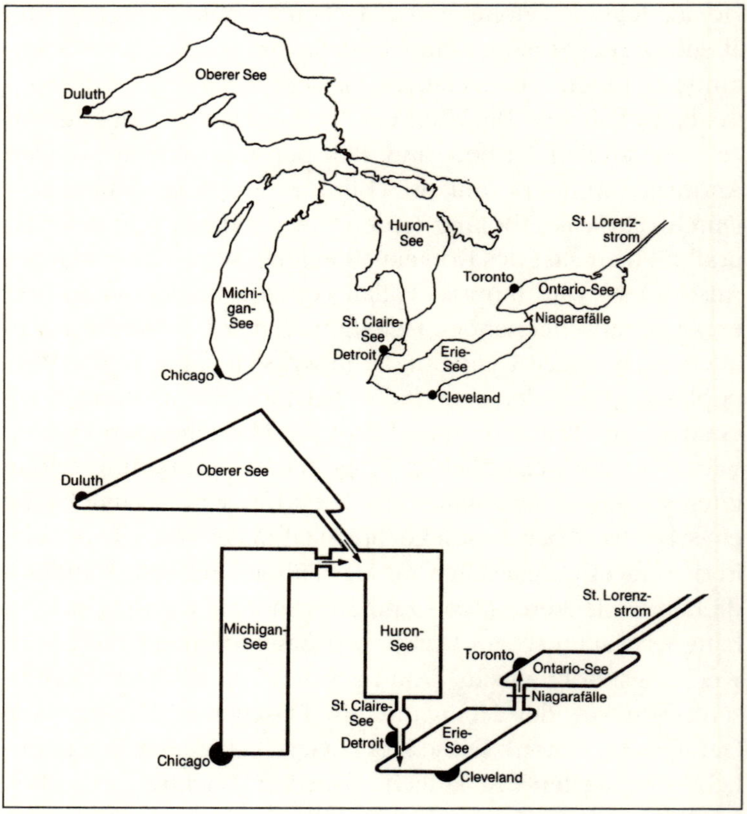

Sie können einer Information statt einer Zeichnung auch ein Denkbild oder eine Geschichte zuordnen: wichtig ist allein, dass die zugewiesene Bedeutung Ihnen das Behalten erleichtert.

Bedeutung erfinden

In der chinesischen Schrift z. B. könnten Sie sich das Zeichen für „groß“ als einen Menschen denken, der mit beiden Beinen fest auf der Erde steht und seine Arme vor der Brust verschränkt hat:

大

Das Zeichen für „Mund“ ist als Quadrat leicht zu merken:

口

Bei dem Zeichen für „Berg“ denken Sie an drei Gipfel:

山.

So entstehen Minigeschichten, die Ihrer Erinnerung aufhelfen. *Sinnvolle* Zusammenhänge nimmt das Gedächtnis leichter auf, weil es die neue Information an bereits bekanntes Wissen anschließen kann.

Rückblick

Nutzen Sie möglichst viele unterschiedliche Lernkanäle. Machen Sie sich die logischen Strukturen Ihres Wissensstoffes bewusst durch Chronologie, Analogie oder Gegensätze und gliedern Sie ihn durch Überschriften, Leitbegriffe, Strukturplan. Setzen Sie Ihren Lernstoff in Bilder um (Mindmap, graphische Skizze, Diagramm, Denkfoto, Loci-Technik) und unterstützen Sie Ihr Gedächtnis mit Farben und Symbolen. Wählen Sie Lieder, Verse, Rhythmus und Satzmelodie als Geländer für Ihre Erinnerung und erfinden Sie Sprachspiele und Geschichten, um Ihr Wissen wirkungsvoll zu verankern.

Kapitel 7

Wissen speichern

Wissen speichern

1. Lerneinstieg
- Mentale Einstimmung
- Wissen strukturieren
- Vorwissen aktivieren
- Prüfung imaginieren

2. Lernmedien
- Lernübersicht
- Lernbrief
- Lernkartei
- Lernplakat
- Lernpuzzle
- Lernkassetten

3. Lerntechnik
- Lernsequenzen
- Lernen in Gruppen
- Vier Lernschritte
- Wiederholendes Lernen – strukturierendes Lernen

4. Lerncheck

Sie haben sich Ihr Prüfungswissen erarbeitet, haben das Wichtigste exzerpiert, komprimiert und es lerngerecht verankert. Nun gehen Sie daran, sich dieses Wissen systematisch einzuprägen. Beim Lesen, beim Markieren, Strukturieren, Exzerpieren und vor allem bei den verschiedensten Ankertechniken ist natürlich schon ganz viel „hängen geblieben". Dennoch müssen Sie jetzt noch den letzten entscheidenden Schritt tun und das erworbene Wissen bis auf Abruf speichern.

Um in dieser Phase gezielt und ökonomisch zu arbeiten, achten Sie auf den richtigen *Lerneinstieg* und wählen Sie die geeigneten *Lernmedien.* Organisieren Sie anschließend Ihre *Lerntechnik* nach lernpsychologisch abgesicherten Prinzipien und prüfen Sie mit einem abschließenden *Lerncheck*, ob Sie erfolgreich gelernt haben. Zu jedem dieser wichtigen Aspekte finden Sie in diesem Kapitel Anregungen und Hilfestellungen.

1. Lerneinstieg

1.1 Mentale Einstimmung

Lernwiderstände bewusst angehen

Stellen Sie sich konzentriert darauf ein, lernen zu *wollen*, Abneigung gegen das Lernen oder das Gefühl, gezwungenermaßen lernen zu *müssen* verringert Ihre Aufnahmefähigkeit. Widerstände gegen Ihre Prüfungsvorbereitungen gehen Sie am besten bewusst an – es nutzt wenig, sie immer wieder zu verdrängen, denn nach kurzer Zeit melden sie sich doch wieder. Machen Sie es sich zur Gewohnheit, jeden Lerntag mit fünf Minuten *Free Writing* zu beginnen: Notieren Sie auf einem leeren Blatt Papier alles, was Ihnen durch den Kopf geht. Schreiben Sie ohne Zensur „automatisch" alle Ihre Gedanken nieder, „ohne den Stift abzusetzen". Keine Angst, es liest niemand außer Ihnen! Schreiben Sie über Ihren Widerwillen, über Ihre Angst zu versagen, über das Chaos in Ihrem Kopf – schreiben Sie über alles, was Sie am konzentrierten Lernen hindert. Aber schreiben Sie sich nicht in einen Schreibrausch hinein! Begrenzen Sie die Schreibzeit auf ungefähr 5 Minuten. Danach legen Sie das Blatt erst einmal beiseite, ohne es noch einmal durchzulesen. Jetzt haben Sie den Kopf frei für Ihre Prüfungsvorbereitung und können loslegen.

Free Writing

Später am Tag, am besten am Abend nach einer gelungenen Lernetappe, machen Sie es sich so richtig gemütlich und holen Ihren Free Writing Text hervor: Welche Hindernisse mussten Sie heute überwinden? Welche Ängste/Schwierigkeiten tauchen immer wieder auf? Für fast jede Lernhemmung bietet Ihnen dieses Buch Hilfestellungen an. Schlagen Sie immer wieder einmal nach und probieren Sie so viel verschiedene Strategien wie möglich aus. Nur so finden Sie heraus, was *Ihnen* am besten hilft. So können Sie, wenn Sie mögen, jeden Tag einen neuen Lerntipp ausprobieren, der Ihnen nicht nur das Lernen erleichtert, sondern Ihnen darüber hinaus die Freude am Lernen zurückgibt.

viele Lernstrategien ausprobieren

Skeptisch? Probieren Sie's aus!

Sorgen Sie auch dafür, dass Sie nichts „Sinnloses" lernen: fast in jeder Prüfungsvorbereitung gibt es Gebiete/Themen, mit denen man sich nur ungern beschäftigt. Vielleicht empfindet man sie als nebensächlich, schlimmstenfalls als vollkommen überflüssig. Versuchen Sie, sich auch ein ungeliebtes Prüfungsgebiet attraktiv zu machen:

Lerngebiet attraktiv machen

- Entdecken Sie offene oder kontrovers diskutierte Forschungsfragen
- Überlegen Sie, ob sich Ergebnisse eventuell auf ein Forschungsgebiet übertragen lassen, das Sie interessiert
- Fragen Sie sich, was Ihre Kommilitonen/Kolleginnen an diesem Themenbereich interessieren könnte und wie Sie ihnen Ihr Wissen vermitteln könnten
- Prüfen Sie, ob Ihr Wissen sich vielleicht in Ihrem künftigen beruflichen Kontext irgendwie nutzen lässt.

Lassen Sie nichts unversucht, um Ihre emotionale Abneigung gegen ein Themengebiet zu überwinden! Ihr Gedächtnis sträubt sich nämlich dagegen, etwas aufzunehmen, das Sie emotional ablehnen. Diese emotionale Barriere erschwert Ihr Lernen also unnötig. Erleichtern Sie sich den Lernprozess und sichern Sie Ihren Lernerfolg, indem Sie auch einem lästigen Lernstoff noch eine gute Seite abgewinnen.

emotionale Barrieren abbauen

Bauen Sie auch möglichst oft lustige, originelle oder allgemein angenehme Lernerlebnisse in Ihre Prüfungsvorbereitung ein. Sie schaffen auf diese Weise eine positive Lernlage: Ihr Gedächtnis wird aufnahmebereiter und Sie werden sich später an diesen Lernstoff leichter und schneller erinnern. Sie können z.B. lustige Symbole in Ihre Mindmaps einfügen, Ihr Wissen in originelle Geschichten einbetten oder Ihre Lernumgebung hin und wieder kreativ verändern. Überprüfen Sie Ihr Wissen auch einmal nach einer kurzen Wanderung (Bewegung fördert die Lernbereitschaft!) an einem improvisierten Lernplatz am Waldrand oder nach dem Joggen auf einer Parkbank. Sie werden überrascht sein, wie

positive Lernlage schaffen

originelle Ideen

günstig sich der Wechsel der Lernorte auf Ihre Gedächtnisleistung auswirkt.

1.2 Wissen strukturieren

In Ihrer Prüfung sollen Sie beweisen, dass Sie in der Lage sind, Wichtiges von Unwichtigem zu unterscheiden und Ihr Wissen zu strukturieren. Es kommt nicht darauf an, möglichst viele Details zu reproduzieren, sondern ausgewähltes Wissen zielgenau auf eine Frage oder einen thematischen Zusammenhang hin auszurichten. Sie müssen also den Kontext kennen, in den Ihr Spezialgebiet oder Ihre Fragestellung gehört. Fragen Sie sich:

Frage nach dem Kontext

- In welchem Teilgebiet meiner Wissenschaft liegt mein Themenbereich?
- Welches Hintergrundwissen habe/brauche ich über dieses Teilgebiet?
- Was ist charakteristisch für dieses Gebiet?

Beispiel für Kontextfragen

Wenn Sie im Fach Politikwissenschaft das Spezialgebiet „Nord-Süd-Konflikt" wählen, stellen Sie fest, dass Sie hier im Teilbereich „internationale Politik/internationale Beziehungen/Außenpolitik arbeiten. Deshalb fragen Sie sich: Womit befasst sich diese Teildisziplin? Was sind ihre Schwerpunkte? Als Hintergrundwissen brauchen Sie einen Überblick über verschiedene Theorien in dieser Teildisziplin. Anschließend machen Sie sich klar, dass es speziell zum Nord-Süd-Konflikt kontroverse theoretische Ansätze gibt. An einem bestimmten Beispiel spielen Sie diese Ansätze durch und prüfen, zu welchen Ergebnissen Sie jeweils kommen. Dann werfen Sie einen Blick auf andere Fragestellungen im Bereich „internationale Politik" und stellen heraus, welche besonderen Verfahren, Möglichkeiten und Schwierigkeiten gerade die Analyse des Nord-Süd-Konflikts kennzeichnen.

Brücke zwischen Frage und Antwort schlagen

Durch diesen Fragenkatalog erarbeiten Sie sich den übergreifenden Zusammenhang, in dem Ihr Thema steht. Diesen Zusammenhang müssen Sie kennen, um Einzelfragen, die Ihnen gestellt werden, einzuordnen und von sich aus eine Brücke zwischen den Fragen/Antworten zu schlagen.

1.3 Vorwissen aktivieren

Beginnen Sie jede Lerneinheit mit einem kurzen Brainstorming: Was weiß ich schon zu diesem Thema? So wie Sie vor Beginn der Forschungslektüre in Stichworten Ihren Wissensstand rekapitulieren, so verschaffen Sie sich auch jetzt einen knappen Überblick über Ihr aktuelles Wissen. Sie stellen Ihrer Erinnerung damit die notwendigen Ankerplätze zur Verfügung, um neues Wissen an bereits vorhandenes anzuschließen. Da Lernen immer die Verknüpfung von unbekannten Informationen mit bekannten bedeutet, leisten Sie mit diesem Brainstorming eine wichtige Vorarbeit für ein effektives Lernen.

Wissen rekapitulieren

Ankerplätze für Erinnerung

Finden Sie außerdem heraus, durch welche Lernkanäle Sie bisher am leichtesten lernen konnten. Beginnen Sie Ihren Lernprozess, wenn möglich, immer zuerst auf diesen bewährten Wegen. Das erleichtert den Einstieg ins Lernen. Später erweitern Sie Ihr Repertoire durch neue Zugänge. Sobald Ihnen ein neuer Zugang vertraut geworden ist, können Sie ihn ebenfalls als Eingangskanal nutzen.

neue Eingangskanäle

1.4 Prüfung imaginieren

Stellen Sie sich beim Lernen immer schon vor, wie Sie Ihr Wissen wiedergeben wollen. Das zwingt Sie dazu, das Gelernte argumentierend vorzubringen. Genau diese Fähigkeit wird in der Prüfung von Ihnen erwartet: Wissen argumentierend darzustellen.

beim Lernen ans Wiedergeben denken

Wenn Sie sich durch die Vorstellung der Prüfungssituation allzu stark blockiert fühlen, stellen Sie sich zunächst eine Diskussion mit einem Studienkollegen vor. Sobald sich Ihr Wissen gefestigt hat, gehen Sie dazu über, die reale Prüfungssituation zu imaginieren. Stellen Sie sich den Raum vor, in dem Ihre Prüfung stattfinden wird, die Prüflinge um Sie herum und/oder Ihre Prüfer. Registrieren Sie auch die Gefühle, die dabei auftauchen. Je vertrauter Ihnen die Prüfungssituation schon beim Lernen wird, desto geübter können Sie später mit den realen Belastungen umgehen.

sich in die Prüfungssituation hineindenken

2. Lernmedien

unterschiedliche Lernmedien testen

Probieren Sie unterschiedliche Lernmedien aus: Lernübersicht, Lernbrief, Lernkartei, Lernplakat, Lernpuzzle und Lernkassette. Alle diese Medien transportieren komplexes Wissen auf verschiedenen Wegen in Ihr Langzeitgedächtnis. Wichtig ist es für Sie, möglichst früh experimentierend herauszufinden, mit welchem Lernmedium Sie am leichtesten und effektivsten lernen.

2.1 Lernübersicht

Lernübersicht in Stichworten

Am geläufigsten ist Ihnen wahrscheinlich die Lernübersicht, in der Sie mit Stichworten klar gegliedert Ihr Wissen festhalten. Leitbegriffe, Überschriften, Zwischentitel, Aufzählungen, Tabellen und Strukturpläne helfen Ihnen, Ihr Themengebiet zu überblicken und sich auch an Einzelheiten zu erinnern. Nutzen Sie dabei zur Unterstützung Farben und Symbole, gehen Sie jedoch sparsam mit diesen Markierungen um, denn sie verlieren ihre Wirkung, wenn man sie zu häufig einsetzt. Wenn Sie Ihre Lernübersichten im PC angelegt haben, drucken Sie Ihr Material vor dem Lernen aus. Wenn Sie die verschiedenen Unterpunkte auf unterschiedlichen Blättern festhalten, können Sie während des Lernens leichter umsortieren und ergänzen und haben doch das gesamte Material gleichzeitig vor sich. Das Umsortieren und Neustrukturieren der Informationen nach jeweils wechselnden Fragestellungen ist lernpsychologisch sehr günstig. Wenn Sie nämlich Ihr Wissen wiederholt in wechselnden Fragekontexten erproben, können Sie souverän damit umgehen. So lernen Sie, auch auf unerwartete Fragestellungen zu antworten.

Umsortieren von Informationen hilfreich

Ihre ausgedruckten Notizen können Sie leicht an jeden beliebigen Ort mitnehmen und Ihre Kenntnisse jederzeit auffrischen. Es empfiehlt sich nämlich, Kenntnisse, die schnell abrufbereit sein müssen, in unterschiedlichen Lernsituationen, an unterschiedlichen Lernorten zu wiederholen: in der Straßenbahn, am Kiosk, in der Mensa, im Freibad. Auf diese Weise heftet sich die Erinnerung nicht wie sonst im Reiz-Reakti-

unterschiedliche Lernsituationen aufsuchen

ons-Schema an den *einen* Lernort, sondern steht auch in anderen Kontexten schnell zur Verfügung.

2.2 Lernbrief

Packen Sie Ihr gesamtes Wissen zu einem Themenbereich in einen Brief an einen konkreten Adressaten. Stellen Sie zunächst den Kontext dar und strukturieren Sie Ihren Brief anschließend durch Überschriften und Zwischentitel. Lesen Sie sich diesen Brief immer wieder selber laut vor. Memorieren Sie am Anfang jedes Briefes, wie viele Items, d.h. Leitgedanken, Ihr Brief umfasst. Verbinden Sie diese Zahl eventuell mit einem bestimmten Symbol: ein Brief mit vier Items bekommt z.B. ein Kleeblatt als Symbol, ein Brief mit neun Items erhält als Symbol einen Kegel („alle Neune"). Wenn man die Anzahl der Leitgedanken weiß, kann man sie erfahrungsgemäß leichter reproduzieren.

Brief an einen Freund

Anzahl der Leitgedanken einprägen

Anstelle eines Briefes können Sie auch einen Zeitungsartikel über Ihren Themenbereich verfassen: stellen Sie sich in

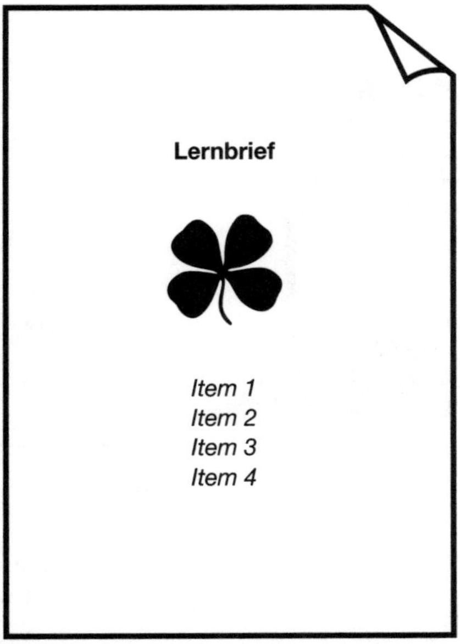

Abbildung 1: Lernbrief mit Kleeblatt

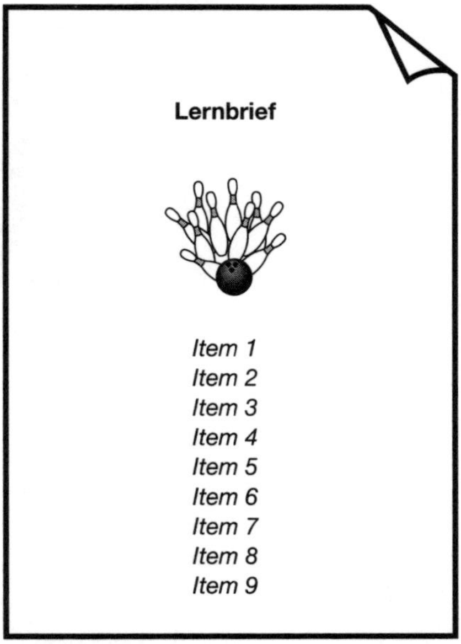

Abbildung 2: Lernbrief mit Kegel

Journalartikel schreiben

jedem Fall möglichst genau ein bestimmtes Publikum vor, für das Sie schreiben.

2.3 Lernkartei

In fast jeder Lernanleitung finden Sie Hinweise auf die Lernkartei als einfache „Lernmaschine". Auch in unserer Übersicht soll die Lernkartei nicht fehlen, nur sollen Sie auch erfahren, wann Sie die Lernkartei sinnvoll einsetzen können und wann eine andere Lernhilfe bessere Erfolge verspricht.

Lernkartei für Übersichten

Eine Lernkartei ist ein Karteikasten mit fünf Fächern unterschiedlichen Umfangs. Die Fächer können von eins bis fünf nummeriert, oder mit unterschiedlichen Farben gekennzeichnet werden. Beschriften Sie Ihre Karteikarten zu einem bestimmten Themengebiet immer nur mit einer Frage auf der Vorderseite und der Antwort auf der Rückseite. In der rechten oberen Ecke sollten Sie mit einer Abkürzung das Themengebiet bezeichnen. So finden später auch verirrte Karten den Weg zurück ins thematisch passende Fach.

Abbildung 3: Lernkartei

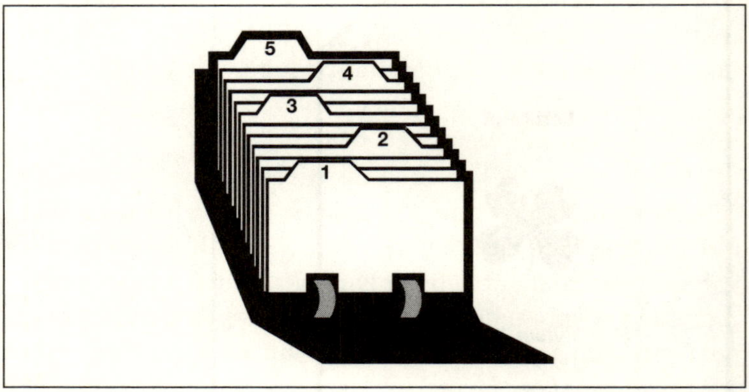

Wie die Lernkartei funktioniert

Füllen Sie das erste Fach mit jeweils ungefähr sieben neuen Informationen/Karten pro Tag, bis Sie Ihr gesamtes Wissen zu einem Themengebiet verzettelt haben. Wenn Sie z.B. Vokabeln pauken, müssen Sie wahrscheinlich mehr als sieben

Wörter pro Tag lernen. In diesem Fall unterbrechen Sie Ihr Lernen nach jeweils sieben Vokabeln für ungefähr 5 bis 10 Minuten, um Ihrem Gedächtnis genügend Zeit zum Abspeichern zu geben.

Bearbeiten Sie Ihre Karteikarten jeden Tag im Frage-und-Antwort-Spiel: Haben Sie eine Frage richtig beantwortet, stecken Sie die Karte ins zweite Fach, wissen Sie die Antwort nicht, bleibt die Karte im ersten Fach.

Bei Ihrem nächsten Lerntermin (möglichst am nächsten Tag!) arbeiten Sie zunächst wieder das erste Fach durch. Nehmen Sie nur so viele neue Informationen auf, dass wiederum zunächst nur sieben Items im Fach lagern. Ansonsten verfahren Sie wie beim ersten Durchgang. Wiederholen Sie anschließend alle Fragen aus dem zweiten Fach. Die „richtigen" kommen ins dritte Fach, die „falschen" gehen zurück ins erste.

täglich 7 neue Items

Am dritten Lerntag beginnen Sie wieder mit Fach eins – auffüllen auf sieben Items – und verfahren dann wie zuvor. Fach drei wird erst nach mehreren Tagen – bis zu einer Woche – wieder vorgenommen. Auch hier wandern die „richtigen" weiter in Fach vier, die „falschen" werden wieder in Fach eins einsortiert. Fach vier wiederholen Sie in noch größeren Abständen von ungefähr drei bis vier Wochen; alle „richtigen" Karten kommen in Fach fünf. Informationen, die in Fach fünf angekommen sind, müssen erst zwei bis drei Tage vor der Prüfung wiederholt werden.

Dieses Lernverfahren eignet sich für alle Informationen, die Sie selber durch Exzerpte, Mindmaps, Übersichten, Tabellen und Strukturpläne zusammenstellen. Wenn Ihr Lernstoff aber bereits in einem Lehrbuch, einem Vokabelheft, einer Formelsammlung, in größeren Tabellen oder übersichtlichen Zusammenfassungen aufbereitet vorliegt, lohnt sich die Mühe einer Lernkartei meistens nicht.

Lernkartei für leicht überschaubares Wissen

Karteikarten eignen sich besonders gut zum Lernen von Faktenwissen und leicht überschaubaren Zusammenhängen. Komplexe Argumentationszusammenhänge sollten Sie sich dagegen lieber mit Hilfe einer originellen Lernstrategie einprägen (vgl. Kap.6).

2.4 Lernplakat

Sie können Lernplakate ganz unterschiedlich gestalten und einsetzen. Malen Sie ein Mindmap Ihres Themengebiets auf ein möglichst großes Blatt Papier im Querformat und hängen Sie es an einer gut sichtbaren Stelle in Ihrem Zimmer auf. Wenn Sie mehrmals am Tag dort vorbeikommen, prägt sich die Übersicht ganz von selbst in Ihr Gedächtnis ein.

Mindmap als Lernplakat

Oder skizzieren Sie in einer phantasievollen Zeichnung mit Figuren und Symbolen Ihr Wissen übersichtlich in einer Art Collage. Je origineller Sie dieses Bild gestalten, desto leichter können Sie sich die Informationen im Zusammenhang merken. Bereits beim Herstellen der Lernplakate trainieren Sie aktiv Ihre Erinnerung und führen sich Ihren Argumentationszusammenhang noch einmal deutlich vor Augen.

Collage als Lernplakat

2.5 Lernpuzzles

Wenn Sie komplexe Übersichten im Kopf haben müssen, können Sie Ihr Mindmap oder Ihre graphische Skizze auch als Puzzle nutzen: zerschneiden Sie Ihre Übersicht in Einzelteile und fügen sie die Puzzleteile später aus der Erinnerung wieder zusammen. So müssen Sie aktiv Ihr Wissen rekonstruieren und machen sich dabei immer wieder seine innere Struktur deutlich.

Lernpuzzle zusammensetzen

2.6 Lernkassetten

Stellen Sie eigene Lernkassetten her: Sie können Frage-und-Antwort-Kassetten aufnehmen, um Ihr Wissen zu überprüfen oder sich mit mehreren Kurzvorträgen zu relevanten Themen die wichtigsten Merkmale eines Wissensgebiets erarbeiten und einprägen. Nutzen Sie bei diesen Aufnahmen auch die unterschiedlichen Ausdrucksmöglichkeiten Ihrer Stimme, um besonders Wichtiges hervorzuheben (vgl. Kap.6).

Wissen auf Kassetten sprechen

3. Lerntechnik

Sie haben Ihr Wissen lerngerecht aufbereitet und unterschiedliche Lernmedien ausprobiert. Jetzt brauchen Sie nur noch ein paar Tipps zum eigentlichen Lernprozess. In Kapitel 3 haben Sie schon erfahren, wie Sie Ihre Arbeit effektiv organisieren können, jetzt geht es darum, sich das aufbereitete Wissen Schritt für Schritt einzuprägen.

3.1 Lernsequenzen

Nutzen Sie Ihr Gedächtnis optimal, indem Sie Ihren Lernprozess in Etappen planen: nehmen Sie sich nicht mehr als ungefähr sieben neue Informationen auf einmal vor. Lernen Sie Schwieriges immer am Anfang einer Lernsequenz. Je mehr *kleine* Lerneinheiten Sie auf diese Weise bilden, um so sicherer behalten Sie Ihren Lernstoff. Größere Lerneinheiten benötigen mehr Lernzeit, führen aber erfahrungsgemäß zu einem geringeren Lernergebnis im Verhältnis zum Zeitaufwand.

Gesetz der 7 Items

lieber kürzer aber öfter lernen

Lernen Sie höchstens 30 bis 40 Minuten hintereinander konzentriert, danach geben Sie Ihrem Gedächtnis Zeit, die Informationen zu verarbeiten. Machen Sie nach 30 oder 40 Minuten Lernzeit mindestens 5 Minuten Pause. Probieren Sie aus, welche Lerneinheiten und welche Pausenzeiten für Sie am besten sind.

Lernblöcke – Pausenblöcke

Unterstützen Sie Ihren Lernprozess durch Bewegung: gehen Sie während des Memorierens auf und ab oder begleiten Sie Ihr Lernen mit Handbewegungen. Wenn Sie nur sitzend am Schreibtisch lernen können, lassen Sie wenigstens Ihre Augen aktiv hin und her flitzen: ordnen Sie z.B. Fragen und Antworten auf zwei getrennten Blättern, die Sie rechts und links in Ihrem Blickfeld auslegen. Finden Sie heraus, ob diese „Bewegung“ Ihre Merkfähigkeit verbessert.

Lernen mit Bewegung

3.2 Lernen in Gruppen

Chancen des Gruppenlernens

Probieren Sie auch das Lernen in Gruppen aus:

- Verteilen Sie untereinander „Kurzreferate“ zu jedem Themengebiet und rekapitulieren Sie Ihr Wissen aus dem Gedächtnis
- Stellen Sie sich gegenseitig Fragen
- „Inszenieren“ Sie Ihr Wissen mit verteilten Rollen: jeder trägt *einen* Baustein zu einem gemeinsamen Thema bei. Auf diese Weise können Sie üben, Ihr Wissen zu strukturieren
- Führen Sie Streitgespräche über Ihr Thema, indem jeder eine andere Forschungsposition vertritt.

3.3 Vier Lernschritte

4 Schritte des Lernens

Um neues Wissens dauerhaft zu speichern, gliedern Sie den Lernprozess in vier Schritte:

1. Sprechen Sie sich jede neue Information grundsätzlich erst einmal innerlich lautlos vor. Sie bahnen durch dieses subvokale Memorieren bereits die Wege für Ihren künftigen Lernprozess.
2. Lesen Sie sich dann nach der Aufbereitung des Lernstoffes Ihre Aufzeichnungen/Exzerpte einmal langsam *laut* vor. Strukturieren Sie Ihren Lernprozess so, dass Sie nicht mehr als ungefähr sieben neue Informationen auf einmal in Ihr Gedächtnis einspeisen.
3. Jetzt lesen Sie dieselben Informationen noch einmal langsam und *lautlos*. Nehmen Sie sich ganz bewusst vor, dass Sie diese Information jetzt auf jeden Fall behalten wollen. Dann prägen Sie sich jede neue Information ungefähr acht Sekunden lang ein.
4. Schließen Sie nun die Augen. Stellen Sie sich das Gelesene vor – als Bild, als Geschichte, als Übersicht – und beschreiben Sie anschließend *laut*, was Sie sehen.

Wann wiederholen?

Wiederholen Sie das neu Gelernte nach 10 Minuten. Danach sortieren Sie es in die Lernkartei ein oder legen es für eine Wiederholung am folgenden Tag bereit. Alle Informationen, die am folgenden Tag noch abrufbar sind, brauchen erst wieder nach einer Woche aufgefrischt zu werden.

Überprüfen Sie Ihr Wissen jedoch *sofort* nach jeder Lernetappe – im Abstand von 10 Minuten zur letzten „Eingabe". Sobald Sie eine Information gespeichert haben und sie fehlerfrei reproduzieren können, bringt Ihnen eine weitere kurzfristige Wiederholung keine größere Merksicherheit. Vermeiden Sie also unnötiges „Überlernen".

Überlernen vermeiden

Überprüfen Sie Ihr Wissen regelmäßig:
- nach 10 Minuten
- nach einem Tag
- nach einer Woche
- nach vier oder mehr Wochen.

3.4 Wiederholendes Lernen – strukturierendes Lernen

Wir unterscheiden grundsätzlich ein Lernen durch *Wiederholen* und ein Lernen durch *Strukturieren.* Bei vielen Lernaufgaben geht es vorwiegend um das reine Auswendiglernen von Vokabeln, Benennungen, Formeln. Diese Informationen können Sie lerngerecht aufbereiten, indem Sie Kategorien bilden und Ihr Wissen in Blöcken zusammenfassen: Vokabeln nach Sachgebieten geordnet lernen, die Namen von Muskelgruppen nach ihren Funktionen sortieren, Formeln z.B. nach ihrem Verwendungszusammenhang abspeichern. Bei einem solchen Lernen durch Wiederholen wächst Ihr Wissen in überschaubaren Lerneinheiten stetig.

wiederholendes Lernen

Beim strukturierenden Lernen müssen Sie selber Zusammenhänge herstellen, Verbindungen knüpfen, Ursachen finden, Folgerungen ziehen und Ordnungssysteme herstellen oder anwenden. Bei dieser Art des Lernens haben wir mitunter den Eindruck, nach einem erfolgreichen Lernstart plötzlich nicht mehr recht vom Fleck zu kommen. Unser Wissen nimmt nicht mehr erkennbar zu, unser Lernfortschritt ist kaum messbar. Wir erreichen nämlich nach anfänglichem Informationszuwachs irgendwann ein Lernplateau, auf dem unser Lernen gleichsam innehält, um die gewonnenen Informa-

strukturierendes Lernen

vom Lernplateau zum Gipfel!

tionen neu zu ordnen und sie in eine übergeordnete Struktur zu überführen. Verzweifeln Sie deshalb nicht, wenn es einmal nicht recht „weiter geht", sondern lernen Sie weiter, bis sich nach einiger Zeit ganz „von selbst" ein Sprung in Ihrer Lernprogression zeigt. Plötzlich gewinnen Sie den Durchblick, können Ihr Wissen überblicken und es souverän gebrauchen.

Einordnen von Detailwissen

Bei reinem *Wiederholungwissen* (Vokabeln, Formeln, Daten, Modelle) verläuft die Strukturierung meistens weniger komplex als beim strukturierenden Wissen. Dennoch unterstützt die inhaltliche Gruppierung die Merkfähigkeit in gleicher Weise. Besonders wichtig ist die Einordnung von Detailwissen in einen größeren Zusammenhang allerdings beim *strukturierenden* Wissen. Für jede Information stehen nämlich in der Regel im Gedächtnisspeicher Abrufreize bereit – meistens Leitbegriffe – , die das gespeicherte Wissen zugänglich machen. Deshalb ist unser Wissen dann am besten abrufbar, wenn es in sinnvollen Kategorien oder thematischen Blöcken abgelegt wurde.

Kategorien stützen die Erinnerung

Wenn Sie beim *wiederholenden* Lernen immer wieder merken, dass Ihre Konzentration nachlässt, versuchen Sie die unvermeidbar monotonen Lernabläufe durch äußere Stimuli ein wenig abwechslungsreicher zu gestalten: wählen Sie unterschiedliche Stifte für verschiedene Lerneinheiten, benutzen Sie Papiere in verschiedenen Formaten und Farben, spielen Sie unaufdringliche Hintergrundmusik ein, lernen Sie hin und wieder beim Herumgehen, wechseln Sie auch Ihre Lernorte und natürlich, wie Sie aus Kapitel 5 schon wissen, die Lernkanäle.

Lernreize

4. Lerncheck

Um Ihren Lernerfolg zu überprüfen, benutzen Sie verschiedene Techniken zur Selbstkontrolle:

Techniken zur Lernkontrolle

- Schreiben Sie einen Brief, in dem Sie Ihr Themengebiet zusammenhängend darstellen

- Führen Sie laute Selbstgespräche, in denen Sie sich selber verschiedene zentrale Probleme Ihres Wissensgebietes erklären
- Halten Sie einen Kurzvortrag zu einem wichtigen Teilgebiet
- Stellen Sie sich selber Fragen und antworten Sie
- Nehmen Sie die Position eines kritischen Gegenspielers ein, der Ihre Position anzweifelt. Verteidigen Sie Ihre Position!
- Unterhalten Sie sich möglichst oft mit anderen über Ihre Themengebiete und versuchen, Sie, so viele Fragen wie möglich zu beantworten
- Malen Sie aus dem Gedächtnis ein Mindmap Ihres jeweiligen Spezialwissens, korrigieren und ergänzen sie es später durch Ihre Aufzeichnungen: konnten Sie die wichtigsten Punkte reproduzieren?
- Hängen Sie eine Lernübersicht/ein Lernplakat an einem Platz auf, an dem Sie mehrmals am Tag vorbeikommen. Überprüfen Sie jedes Mal mit einem kurzen Blick, ob Sie die dargestellten Inhalte noch präsent haben.

Rückblick

Stimmen Sie sich durch Free Writing auf Ihr Lernen ein und sorgen Sie für eine positive Lernlage. Strukturieren Sie Ihr Wissen nach übergeordneten Gesichtspunkten, aktivieren Sie Ihr Vorwissen, und stellen Sie sich beim Lernen bereits auf die Wiedergabe Ihres Wissens ein. Probieren Sie unterschiedliche Lernmedien aus (Lernübersicht, Lernbrief, Lernkartei, Lernplakat, Lernpuzzle, Lernkassetten), und finden Sie heraus, welches Medium Ihr Lernen am effektivsten unterstützt. Planen Sie nicht zu lange Lernsequenzen; arbeiten Sie, wenn möglich, in Gruppen. Prägen Sie sich Ihren Wissensstoff in vier Schritten ein und wiederholen Sie das Gelernte durch einen regelmäßigen Lerncheck.

Kapitel 8

Klausuren schreiben

Klausuren schreiben

1. Vorbereitung
- Mögliche Themen?
- Arbeitsgliederung
- Einleitung und Schluss
- Probeklausur

2. Die Klausur
- Arbeitsauftrag
- Zeitplan
- Multiple Choice

3. Worauf muss ich achten?
- Argumentation auf den Punkt bringen
- Argumentation mit Belegen stützen
- nicht vom Thema abschweifen
- Fachbegriffe richtig einsetzen

4. Kriterien der Beurteilung

In Kapitel 5 haben wir bereits überlegt, wie Sie Ihre Themengebiete für die schriftliche und die mündliche Examensprüfung wählen sollten und wie Sie verschiedene Themen verknüpfen können. Sie haben außerdem unterschiedliche Strategien kennen gelernt, wie Sie sich die Forschungsliteratur erschließen können. In Kapitel 6 haben Sie erfahren, wie Sie Ihren Wissensstoff lerngerecht aufbereiten können und Kapitel 7 hat Ihnen verschiedene Wege gezeigt, um Ihr Wissen effektiv in Ihrem Gedächtnis zu verankern. Im folgenden Kapitel geht es darum, sich auf das eigentliche Schreiben der Klausuren vorzubereiten. Dazu müssen Sie wissen, was von Ihnen verlangt wird, welche Arten von Themen vorkommen können, wie Sie sich auf die Prüfungssituation einstellen können und wie Sie in der Klausur konkret vorgehen sollten.

1. Vorbereitung

1.1 Mögliche Themen?

Was wird in der Forschung (kontrovers) diskutiert?

Nachdem Sie Ihre Themengebiete gewählt haben, beschäftigt Sie natürlich die Frage, welche Themen nun tatsächlich „drankommen" könnten. Stellen Sie hierzu zunächst eine Liste der „Dauerbrenner" zusammen: Fragen, die in (fast) jedem relevanten Forschungsbeitrag angesprochen werden. Sie können sicher sein, dass diese Fragen für Ihren Themenbereich zentral sind und dass sie sehr wahrscheinlich in der ein oder anderen Form als Prüfungsthema auftauchen werden.

Dauerbrenner?

Achten Sie auch darauf, welche Fragen in der Forschung aktuell *kontrovers* diskutiert werden. Machen Sie sich darauf gefasst, kontroverse Positionen zu Ihrem Thema darzustellen, sie gegeneinander abzuwägen und eine begründete *eigene Meinung* zu vertreten.

kontroverse Ansätze?

Was wurde im Seminar bearbeitet und diskutiert?

Stellen Sie die Themen zusammen, die im Seminar/in der Vorlesung bearbeitet und diskutiert wurden. Es sind sicherlich Themen , die Ihre Prüfer für relevant halten und die sie deshalb auch in der Klausur gern als Thema stellen. Vielleicht erinnern Sie sich auch noch, welche Diskussionen zu bestimmten Themen im Seminar geführt und welche Ergebnisse erzielt wurden?

relevante Themen?

Arten von Themen antizipieren

Bei Ihrer Prüfungsvorbereitung kommt es nicht so sehr darauf an, dass Sie genau *das* Thema Ihrer Klausur treffen, sondern dass Sie auf die *Art* der Fragestellung vorbereitet sind. Finden Sie also heraus, *wie* in Ihrem Fach oder in Ihrem Spezialgebiet üblicherweise gefragt wird. Versuchen Sie, so viele Klausuren wie möglich einzusehen (Informationen bekommen Sie über Fachschaften, Internet, andere Studierende, manchmal auch über die Prüfer) und analysieren Sie diese Klausurthemen.

Wie wird gefragt?

Wenn Sie eine Reihe von Themen analysiert haben, entdecken Sie bestimmte *Typen* von Fragestellungen.

Wir wollen uns exemplarisch einige Fragetypen gemeinsam ansehen:

exemplarische Analyse

1. Sie analysieren exemplarisch ein oder mehrere Werke stellvertretend für alle anderen: an einem gegebenen Text stellen Sie Merkmale einer Gattung, eines Verfahrens, einer Epoche oder eines Genres dar:
   a. Interpretieren Sie L. Tiecks Erzählung „Der Runenberg" als Beispiel phantastischer Literatur.
   b. Die Bedeutung der Eisen- und Stahlkonstruktion für die Architektur des 19.Jahrhunderts dargestellt an ausgewählten Beispielen.

Theorie anwenden

2. Sie überprüfen eine Theorie durch ihre Anwendung: Diskutieren Sie Grundprinzipien der „Themenzentrierten Interaktion" (TZI) und ihre Anwendung in der Erwachsenenbildung.

Theorie diskutieren

3. Sie diskutieren eine Theorie im Rahmen der aktuellen Forschungsdiskussion:
   a. Lernen als konstruktive Tätigkeit. Skizzieren Sie die theoretischen Grundlagen einer konstruktivistischen Didaktik mit Bezug zum Förderschwerpunkt „Geistige Entwicklung."
   b. Erläutern und diskutieren Sie zwei unterschiedliche theoretische Ansätze zum Europäischen Rat.

typische Probleme entwickeln

4. Sie arbeiten typische Probleme/Themen einer Zeit, eines Autors, eines Werkes, eines historischen Ereignisses heraus:
   a. Primitivismus in der Kunst des 20. Jahrhunderts?
   b. Analyse the role of danger, violence and death in 19th century children's literature.
   c. Stellen Sie den neuzeitlichen Begriff der Despotie anhand ausgewählter Autoren und Beispiel dar.

Grundzüge darstellen

5. Sie stellen Grundzüge eines Themenbereichs anhand eigener ausgewählter Beispiele dar:
   a. Welche Regierungsformen unterscheidet Montesquieu und welche Prinzipien verwendet er dabei?
   b. Der Sturz der Allende Regierung: Ursachen und Hintergründe.

vergleichen

6. Sie vergleichen Theorien, Phänomene, Texte oder Entwicklungen nach vorgegebenen Gesichtspunkten oder nach Merkmalen, die Sie selber erarbeiten:
   a. Vergleichen Sie die Kaiseridee Friedrich I. Barbarossa mit der Friedrichs II. Zeigen Sie Wurzeln, Unterschiede und Gemeinsamkeiten auf.
   b. Stellen Sie die Diktatur nach römischer Auffassung dar und vergleichen Sie sie mit dem griechischen Typ der Tyrannis.

„und"-Themen

Achten Sie besonders auf die häufigen „und"-Themen, die zwei (manchmal auch mehrere) Aspekte verbinden: Beschreiben Sie Art und Funktion der Gewalt in Kafkas Roman „Der Prozeß".

Diese „und"-Themen fordern Sie auf, die untersuchten Merkmale zueinander in Beziehung zu setzen. Es genügt also nicht, jedes Merkmal für sich zu analysieren, sondern Sie müssen den Zusammenhang zwischen den Komponenten der Prüfungsfrage herstellen und diskutieren.

Beispiele parat haben

Welche Beispiele kenne ich?

Sie haben anhand der wenigen Beispiele schon gesehen, dass immer wieder Themenstellungen mit der Aufforderung verbunden sind, die erläuterten Zusammenhänge mit eigenen Beispielen zu untermauern. Überlegen Sie deshalb vor der Klausur, welche Beispiele aus Ihrem Themengebiet Sie gut genug kennen, um sie sinngemäß zitieren oder beschreiben zu können.

Im Gespräch mit Ihrem Prüfer sollten Sie auch klären, ob Sie in der Klausur mit vorgegebenem Arbeitsmaterial rechnen können: bekommen Sie z.B. einen Text, eine Quelle zur Interpretation oder Daten zur Auswertung? Wenn nicht, müssen Sie sich darauf einstellen, je nach Thema sinngemäß selber Zitate, Belege, Forschungsmeinungen in Ihre Klausur einzuarbeiten.

1.2 Arbeitsgliederung

Gliederungen entwerfen

Sobald Sie einen Überblick über mögliche Themenstellungen gewonnen haben, legen Sie Arbeitsgliederungen für diese Klausurthemen an. Eine solche Gliederung enthält

- eine Formulierung der Frage, die in der Themenstellung steckt: was genau wird von mir verlangt?
- eine Formulierung der Antwort auf diese Frage
- eine Abfolge der Argumente (= Unterpunkte), die diese Antwort stützen.

Eine solche Gliederung können Sie dann in der Klausur ohne großen Zeitverlust an die tatsächliche Aufgabenstellung anpassen.

Beispiel für Arbeitsgliederung

Nehmen wir als Beispiel das Thema „Die Rolle der Friedensbewegung in Deutschland in den 80er Jahren“:

Frage:

Wie entwickelte sich die Friedensbewegung in den 80er Jahren und welche Wirkungsmöglichkeiten hatte sie?

Antwort:

Heterogene Gruppen kooperierten je nach politischem Auslöser, wirkten vor allem durch Bewusstseinsbildung: Demokratie von unten.

Argumente (=Arbeitsgliederung für den Hauptteil):

1. Geschichte: Lernprozess seit 1945: „Nie wieder Krieg“, „Kampf dem Atomtod“, Ostermarsch
2. Auslöser 80er Jahre: Nato-Doppelbeschluss
3. neue Struktur/divergierende Ziele: Netzwerke inhomogener Gruppierungen
4. Aktionsformen
5. Friedenbewegung als neue soziale Bewegung?

Die Unterpunkte (= Argumente) Ihrer Gliederung können Sie als Zwischenüberschriften in den Text Ihrer Klausur aufnehmen. Der Leser kann so der Argumentation Ihres Klausuressays besser folgen.

1.3 Einleitung und Schluss

einleitende Sätze vorbereiten

Um einer stressbedingten Schreibblockade vorzubeugen, formulieren Sie schon in der Lernphase für jedes wahrscheinliche Thema einige allgemeine einleitende Sätze vor, die Sie auf jeden Fall verwenden können. In der Klausursituation haben Sie dann schon die ersten Sätze parat und kommen leichter ins Schreiben hinein.

Originelle Idee?

originelle Einstieg?

Während Sie die Forschungsliteratur lesen und für sich verarbeiten, überlegen Sie, ob Sie eine originelle Idee zu Ihrer Fragestellung entwickeln können. Vielleicht können Sie Ihr Thema in eine aktuelle Diskussion einbetten? Vielleicht haben Sie eine Forschungslücke – und sei sie auch noch so klein – entdeckt, die Sie zwar nicht selber füllen, auf die Sie aber hinweisen können? Vielleicht erinnern Sie sich an eine Sendung im Fernsehen, einen Beitrag in einer Zeitung, eine Diskussion im Radio oder eine Ausstellung, die Ihr Thema betreffen: knüpfen Sie an diesen Einfall an und entwickeln Sie von daher Ihre Fragestellung. Selbstverständlich lässt sich nicht jedes Thema auf diese Weise aufbereiten – wo es aber möglich ist, gelingt ein interessanter Einstieg in die Diskussion: in der Klausur ebenso wie in der mündlichen Prüfung. Erwartet wird ein solcher origineller Gedanke von Ihnen nicht, er erleichtert, wie gesagt, lediglich den Einstieg und setzt gleich zu Beginn ein positives Signal.

Einleitung

Frage hinter dem Thema

Ihre Einleitung soll nur wenige Sätze umfassen (eine halbe Seite oder weniger). Hauptaufgabe der Einleitung ist es, zum Thema hin zu führen. Wiederholen Sie aber nicht einfach nur Ihre Themenstellung, sondern erklären Sie die Frage, die hinter dem Thema steht. Steigen Sie über eine originelle/aktuelle Beobachtung ins Thema ein und betten Sie Ihre Fragestellung außerdem in einen größeren thematischen Kontext ein. Das folgende Beispiel verbindet den aktuellen Einstieg mit der Einordnung des Themas in einen größeren Kontext. Nehmen wir an, Sie bearbeiten das Thema „Alltagsrituale als Bewältigungsstrategien". Ihre Einleitung könnte folgendermaßen beginnen:

Kontext des Themas

Im Jahr 2004 publizierte die Zeitschrift „Psychologie heute" eine Titelgeschichte zum Thema „Rituale". Damit war, so könnte man vermuten, das Thema in der Wahrnehmung der psychologisch interessierten Öffentlichkeit angekommen. Während sich zuvor hauptsächlich Ethnologen mit dem Phänomen beschäftigt haben und dabei vor allem die Riten fremder Völker im Blick hatten, betrachtete die Psychologie Ritualen lange Zeit vor allem unter pathologischer Perspektive. Erst in neuester Zeit befasst sich auch die psychologische Forschung mit Ritualen als Bewältigungsstrategien im Alltag. Auf der Grundlage unterschiedlicher Erklärungsmodelle ist nun genauer zu fragen, welche Funktion Alltagsrituale im jeweiligen Lebenskontext erfüllen. Übernehmen sie Aufgaben der Identitätsbildung und/oder der sozialen Interaktion?

Sie sehen an diesem Beispiel, wie Sie durch einen aktuellen Aufhänger, eine knappe Situierung des Themas und die Entwicklung relevanter Fragen schnell zur Kernfrage Ihres Essays kommen.

Schluss

Auch der Schluss Ihres Klausuressays sollte knapp und prägnant sein. Fassen Sie in zwei oder drei Sätzen noch einmal Ihr Ergebnis zusammen. Gibt es einen gemeinsamen Punkt, in dem Ihre Beobachtungen/Behauptungen zusammen laufen?

Ergebnisse prägnant zusammenfassen

Beziehen Sie sich – wenn möglich – anschließend in ein oder zwei abschließenden Sätzen auf Ihre Einleitung/Ihre Themenstellung zurück.

Einleitung und Schluss verbinden

In unserem Beispiel bündelt die Schlussbemerkung zunächst die Ergebnisse und lenkt den Blick anschließend auf die Einleitung zurück:

Alltagsrituale dienen vor allem der Selbstvergewisserung. Daneben strukturieren sie unsere Zeiterfahrung und organisieren Übergangserfahrungen. Stabilisierende Rituale können deshalb besonders in unserer „beschleunigten" Gegenwart den Einzelnen ebenso wie die Gesellschaft als Ganzes stützen.

Auch Schlusssätze können Sie bereits während der Klausurvorbereitung entwerfen, in verschiedenen Varianten für unterschiedliche mögliche Themen.

1.4 Probeklausur

Prüfung simulieren

Um die Prüfungssituation wenigstens einmal realistisch zu simulieren, verabreden Sie sich mit anderen Prüflingen zu einer Probeklausur. Legen Sie Zeit, Ort und Dauer fest. Überraschen Sie sich ein wenig selber, indem Sie vorher 4 oder 5 Themen Ihrer Wahl auf Zettel schreiben und zu Beginn der Klausur durch Los *ein* Thema ziehen, das Sie dann bearbeiten *müssen.* Sie werden sehen, dass Sie alle Höhen und Tiefen einer echten Prüfung durchleben werden: Anspannung, Aufregung, Zeitdruck, Erleichterung nach den ersten zwei/drei Seiten und die Erfahrung eines gelungenen oder misslingenden Zeitmanagements.

In der Probeklausur lernen Sie Ihre Stärken und Schwächen kennen und haben noch genügend Zeit, um, wo nötig, Abhilfe zu schaffen.

Zeitkalkulation

Sie merken genau, wo Sie kostbare Zeit vertan haben und können überlegen, wie Sie in der Klausur sparsamer mit Ihrer Zeit umgehen können. Es kann z.B. vorkommen, dass Sie lange nach einer gelungenen Formulierung suchen, die sich im Rückblick aber als unnötig erweist, weil Sie beim Überarbeiten den ganzen Abschnitt gestrichen haben. Also nehmen Sie sich vor, sich nicht bei Formulierungen aufzuhalten, sondern die sprachliche Glättung erst ganz am Schluss vorzunehmen.

Gliederung anpassen

Die Probeklausur gibt Ihnen auch Gelegenheit, den Umgang mit Ihrer Arbeitsgliederung zu üben. Wenn Sie eine Gliederung vorbereiten, die auf mehrere mögliche Themenstellungen passt, müssen Sie in der Klausur diese Gliederung erst einmal anpassen. Das fällt umso leichter, je häufiger Sie diese Transformation zuvor geübt haben. Planen Sie auch bereits vor dem Schreiben, wie viele Seiten Sie in etwa zu den einzelnen Punkten schreiben wollen: je wichtiger ein Punkt

Umfang kalkulieren

in der Argumentation ist, umso ausführlicher sollten Sie ihn behandeln.

Sie können in der Probeklausur auch schon ein paar Tipps gegen Prüfungsstress, Blackout und alle übrigen Katastrophen ausprobieren: Sie funktionieren dann im „Ernstfall" reibungsloser.

Auf den Punkt bringen: Was will ich beweisen?
Denken Sie bei Ihrer Vorbereitung schon daran, Ihre Argumentation „auf den Punkt zu bringen": machen Sie sich zunächst klar, wie Sie die Frage, die hinter Ihrem Thema steht, beantworten wollen. Formulieren Sie dann für jedes Argument *einen* zentralen Satz. Stellen Sie jedes Argument in einem Großabschnitt dar und sorgen Sie dafür, dass jeder Großabschnitt *einen* Satz enthält, der die wichtigste Aussage dieses Abschnitts formuliert. Diese „wichtigsten Sätze" bilden zusammen dann den roten Faden Ihrer Argumentation.

ein zentraler Satz pro Argument

2. Die Klausur

Da Sie fast immer mehrere Themen zur Auswahl bekommen, ist es wichtig, sich schnell zu entscheiden. Wählen Sie kurz entschlossen das Thema, das Sie am genausten und gründlichsten vorbereitet haben. Verlieren Sie keine Zeit damit, erst einmal verschiedene Themen durchzuprobieren, sondern bringen Sie rasch Ihre „mitgebrachte" Arbeitsgliederung zu Papier, auch wenn sie anschließend noch auf das aktuelle Thema abgestimmt werden muss. Skizzieren Sie in der Klausur keine Gliederung für *jedes* mögliche Thema, beginnen Sie keine Texte für *verschiedene* Themen, sondern konzentrieren Sie sich ganz darauf, Ihre Arbeitsgliederung der *einen* gewählten Fragestellung anzupassen.

sich schnell für ein Thema entscheiden

2.1 Arbeitsauftrag

Wonach ist hier gefragt?

Welche Begriffe kommen vor und was bedeuten sie?

Um eine passende Gliederung zu erarbeiten, müssen Sie sich zunächst das Thema ganz genau ansehen. Hier lohnt es sich, in Ruhe zu überlegen, welche *Frage* Sie genau beantworten sollen. Sehen Sie sich die Begriffe an, die in der Themenstellung auftauchen. Sind es Fachbegriffe, die Sie vielleicht definieren müssen? Sind es Begriffe, die Ihnen schon einen indirekten Arbeitsauftrag vorgeben? Sind es Begriffe, die andeutungsweise bereits die Antwort auf die zentrale Frage des Themas enthalten? Formulieren Sie nach dieser Themenanalyse einen kurzen Arbeitsauftrag. Beantworten Sie in Stichworten folgende Fragen:

- *Was ist die Frage?*
- *Was soll ich konkret tun?*
- *Was ist die Antwort?*

kurzer Arbeitsauftrag in Stichworten

Sobald Sie diese drei Fragen geklärt haben, können Sie daran gehen, Ihre vorbereitete Arbeitsgliederung der aktuellen Themenstellung anzupassen.

Beispiel für Arbeitsauftrag

Nehmen wir als Beispiel das Klausurthema „Diskutieren Sie Modelle der Arbeitszeitflexibilisierung in Deutschland".

- *Was ist die Frage?* Antwort: Welche Modelle der Arbeitszeitflexibilisierung gibt es in Deutschland und welche Vor- und Nachteile haben die verschiedenen Modelle für die Arbeitnehmer/für die Arbeitgeber?
- *Was soll ich konkret tun?* Antwort: darstellen, welche Modelle es in Deutschland gibt und welche Erfahrungen vorliegen. Nach diesen Erfahrungen die Modelle einschätzen.
- *Was ist die Antwort?* Der Erfolg der Modelle ist an bestimmte Rahmenbedingungen gebunden (nennen!). Einige Modelle funktionieren zufriedenstellend (Vor- und Nachteile aus beiden Perspektiven auflisten), andere müssten angepasst werden (evtl. Vergleich mit der Praxis in anderen Ländern).

2.2 Zeitplan

Planen Sie Ihre Zeit sorgfältig! Bei einer Gesamtzeit von vier Stunden könnte Ihr Zeitplan etwa so aussehen wie in der folgenden Abbildung.

Zeitplan: Wann will ich wie weit sein? Konkrete Uhrzeit angeben!
Zeitplan für Klausur

Legen Sie nach jeder Phase eine Pause von etwa 2 Minuten ein: Sie werden danach konzentrierter und ruhiger weiterarbeiten können.

Überlegen Sie, wie viele Seiten (Spalten) Sie ungefähr zu jedem Unterpunkt schreiben wollen. So können Sie auch beim Schreiben abschätzen, wie weit Sie ungefähr schon gekommen sind und wie viel Zeit Sie jeweils noch für die verbleibenden Abschnitte zur Verfügung haben.

Zeitplan

10 Minuten: Themenwahl + Analyse der Fragestellung

10 bis 15 Minuten: Gliederung umarbeiten, Seitenzuweisung für die Unterpunkte

10 Minuten: Einleitung nach Stichworten schreiben

$2\frac{3}{4}$ bis 3 Stunden: Text schreiben

20 bis 35 Minuten durchlesen + korrigieren

Abbildung 9: Zeitplan für Klausur

2.3 Multiple Choice

Wenn Sie eine Multiple Choice Klausur vor sich haben, verschaffen Sie sich immer zuerst einen Überblick über alle Fragen. Beginnen Sie dann mit der leichtesten Aufgabe. Halten Sie sich bei Schwierigkeiten nicht zu lange bei einer Aufgabe auf, gehen Sie lieber weiter und versuchen Sie erst einmal, so viele Fragen wie möglich zu beantworten. Später können Sie noch einmal zu den schwierigen Aufgaben zurückkehren. Wenn Sie eine Lösung absolut nicht wissen, kreuzen Sie auf gut Glück irgendeine Möglichkeit an. Sie haben dann immerhin eine Chance, die richtige Lösung zu treffen.

Überblick

leichteste Fragen zuerst lösen

Bearbeiten nach Prioritäten üben

Bei Multiple Choice Klausuren ist es ganz wichtig, die passende Zeiteinteilung und die systematische Bearbeitung der Aufgaben nach Prioritäten rechtzeitig und *häufig* zu üben.

3. Worauf muss ich achten?

wichtige Regeln

Sie haben sich rasch für ein Klausurthema entschieden, haben sich die Frage klar gemacht, die Sie beantworten sollen, haben Ihre Arbeitsgliederung aktualisiert und eine konkrete Zeit- und Seitenplanung entworfen. Wenn Sie jetzt mit Ihrer Klausur beginnen, sollten Sie folgende grundlegende Gesichtspunkte beachten:

- ♦ Jede Klausur ist ein in sich geschlossener Essay. Dazu gehören:
  1. eine Einleitung, die das Thema kurz erläutert
  2. eine These, die Sie durch Argumente beweisen
  3. ein Schlussteil, der Ergebnisse zusammenfasst und Folgerungen zieht
  4. Vor- und Rückverweise, die Ihre Argumentation stützen.

These begründen

- ♦ Bringen Sie Ihre Argumentation auf den Punkt! Vertreten Sie eine These und begründen Sie Ihre Entscheidung.

Belege

- ♦ Stützen Sie Ihre Argumentation mit Belegen: aus der Forschung, aus Quellen, aus Texten. Dazu brauchen Sie solide Textkenntnis!

Forschung nennen

- ♦ In der Klausur müssen Sie nicht im einzelnen nachweisen, woher Ihre Gedanken stammen, verweisen Sie aber hin und wieder auf bestimmte Forschungsbeiträge oder Forschungsrichtungen (mit Namensnennung), vor allem, wenn Sie kontroverse Positionen anführen.

nicht abschweifen

- ♦ Wenn Sie weiterführende Gedanken einbringen möchten, achten Sie darauf, sich nicht darin zu verlieren. Behalten Sie immer Ihr zentrales Thema (= die Frage, die Sie beantworten sollen!) im Auge und schweifen Sie nicht ab.

- Wenn Sie Ihr Thema besonders perspektivenreich behandeln wollen, gehen Sie nicht in die Breite, sondern lieber in die Tiefe. Statt etwa mehrere Beispiele für eine Beobachtung anzuführen, überlegen Sie, ob Sie Ihre Beobachtung weiter differenzieren können. Wenn Sie beispielsweise über Frauenfiguren bei Fontane schreiben, analysieren Sie zunächst, welche Typen vorkommen und zeigen Sie anschließend auf, welche Entwicklung in der Gestaltung der Frauenfiguren sich in Fontanes Werk beobachten lässt.

Beobachtungen differenzieren

- Verwenden Sie die in Ihrer Wissenschaft gebräuchlichen Begriffe. Oft ersetzt ein richtig gewählter Fachbegriff lange unnötige Erklärungen. Wenn Sie beispielsweise das Thema „Novalis‘ Roman *Heinrich von Ofterdingen* als Antwort auf Goethes Roman *Wilhelm Meisters Lehrjahre*“ bearbeiten, brauchen Sie die Begriffe „Bildungsroman“ und „Künstlerroman“ als Diskussionsgrundlage.

Fachbegriffe einsetzen

- Verschaffen Sie sich in einer mehrteiligen Klausur immer zuerst einen Überblick über alle Aufgabenstellungen. Wenn Sie eine Aufgabe nicht lösen können, skizzieren Sie in jedem Fall einen Lösungs*weg*, um zu zeigen, dass Sie die Aufgabe im Ansatz verstanden haben.

Lösungsweg skizzieren

4. Kriterien der Beurteilung

Die Beurteilung von Klausuren bleibt oft mehr oder weniger undurchschaubar. Wenn keine klar quantifizierbaren Ergebnisse wie beim Multiple Choice zu erwarten sind, fragt sich verständlicherweise jeder Prüfling, nach welchen Maßstäben seine Klausurleistung beurteilt wird. In der Regel lassen sich durchaus verbindliche Kriterien benennen, die teilweise auch in den Prüfungsordnungen festgeschrieben sind.

Beurteilungskriterien

Die folgende Checkliste dieser Merkmale soll ein wenig Licht in das Dunkel der Beurteilungen und Wertungen bringen:

- Thema erfasst und relevant bearbeitet? Sachlich richtig?
- Wissen selbstständig strukturiert und auf den Punkt gebracht?
- methodisch richtig?
- Aufbau übersichtlich und sinnvoll?
- Argumentation zusammenhängend, logisch und gegebenenfalls textgestützt?
- sichere Begrifflichkeit?
- sprachlich flüssig, klar und exakt?

Checkliste für die Überarbeitung

Wenn Sie sich in Ihrem Klausuressay an diesen Gesichtspunkten orientieren, ist Ihnen der Erfolg sicher. Bei der *Überarbeitung* Ihrer Klausur überprüfen Sie deshalb vor allem:

- ob Ihre Ausführungen die Frage des Themas beantworten
- ob Ihre Argumentation von der Frage zur Antwort führt
- ob Sie Ihr Ergebnis präzis als Antwort auf die Frage des Themas formuliert haben.

Rückblick

Es ist gar nicht so schwer, sich mögliche Prüfungsthemen vorzustellen: überlegen Sie, welche Themen in der Forschung kontrovers diskutiert werden und welche Themen im Seminar zur Sprache kamen. Bereiten Sie Arbeitsgliederungen vor und üben Sie Probeklausuren. In der Klausur selber achten Sie genau auf die Fragestellung. Formulieren Sie einen kurzen Arbeitsauftrag samt Zeitplan. Achten Sie vor allem darauf, nur relevantes Wissen darzustellen und Ihre Argumentation durch Belege zu stützen.

Kapitel 9

Die mündliche Prüfung

Die mündliche Prüfung

1. Vorbereitung
- Wissen flexibel einsetzen
- Aspekte selbstständig verknüpfen
- Themengebiet strukturieren
- Prüfung üben

2. Verhalten in der Prüfung
- Frage – Antwort
- Kommunikation mit den Prüfenden

3. Was müssen Sie können?

1. Vorbereitung

1.1 Wissen flexibel einsetzen

Die inhaltliche Vorbereitung auf Ihre mündliche Prüfung verläuft grundsätzlich genau so wie bei der Klausur: die Vorbereitung von Themen sollte sich an der Forschungsdiskussion und an den im Seminar/in der Vorlesung behandelten Themen orientieren, allerdings können Sie in der Regel keine Arbeitsgliederungen vorbereiten. In seltenen Fällen lässt sich der ungefähre Prüfungsverlauf mit dem Prüfer abstimmen – das ist aber, wie gesagt, die Ausnahme. Im Unterschied zur Klausur werden Sie in der mündlichen Prüfung konkreter an Texten, Theorien, Quellen arbeiten. Oft entwickelt sich das Prüfungsgespräch ausgehend von einer konkreten Vorlage in größeren Gedankenschritten als in der Klausur. Das bedeutet, dass Sie nicht so detailliert argumentieren können und müssen wie in der Klausur, dafür aber Ihr Wissen flexibler einsetzen müssen. Auf eine Prüfungsfrage sollten Sie zunächst so präzise wie möglich antworten und anschließend von sich

Prüfungsgespräch verläuft in größeren Gedankenschritten

Frage präzise beantworten

aus weiterführende Gedanken entwickeln: Beispiele nennen, Parallelen ziehen, Konsequenzen aufzeigen, kontroverse Forschungsdiskussionen kritisch beleuchten und je nach Prüfungsfach historische, theoretische, praktische Zusammenhänge verdeutlichen. Dieser offene Umgang mit Ihrem Wissen verlangt also eine andere Aufbereitung Ihrer Kenntnisse als bei der Klausurvorbereitung.

1.2 Aspekte selbstständig verknüpfen

Vorbereitung mit aktuellem Überblick beginnen

Stellen Sie sich darauf ein, dass Fragen miteinander verknüpft werden und bemühen Sie sich auch, eigenständig Antworten miteinander zu verknüpfen. Bearbeiten Sie die relevante Forschungsliteratur nach den Hinweisen, die Ihnen aus Kapitel 5 zum Thema „Wissen aufnehmen“ bereits vertraut sind: beginnen Sie mit einem Überblick über die Forschungsdiskussion. Erschließen Sie sich den Zusammenhang, in dem Ihr Thema steht, überprüfen Sie Ihr Hintergrundwissen und konzentrieren Sie sich anschließend auf den Kernbereich Ihres Themas.

Beispiel zu Überblick, Zusammenhang und Hintergrund

Nehmen wir an, Sie haben im Fach Psychologie den Themenbereich „Handlungstheoretische Motivationsmodelle“ gewählt. Ihr Rahmen ist die Motivationspsychologie. Fragen Sie sich: Womit befasst sich die Motivationspsychologie? Ihr Thema nimmt die Forschungsergebnisse seit den 70er Jahren des 20. Jahrhunderts in den Blick. Der Zusammenhang Ihres Themas ergibt sich somit aus einem Vergleich mit der klassischen Motivationspsychologie. Hier ist also Ihr Hintergrundwissen gefragt: Welche Erklärungskonzepte gab es vor 1970? Anschließend beantworten Sie die Fragen, die im Zentrum Ihres Themas stehen: Welche konkurrierenden Modelle gab es nach 1970? Welche Ansätze wurden neu erprobt? Welche Fragen/Ansätze werden zur Zeit diskutiert? Welche Ergebnisse liegen vor? Welche Fragen bleiben offen? Gibt es für diese Fragen schon Lösungsansätze?

Richten Sie Ihren Blick bei der Beantwortung der zentralen Frage auf ganz konkrete Texte, Quellen, Theorien (in unserem Beispiel also die handlungstheoretischen Motivationsmodelle) und überlegen Sie anschließend, wie sich der einzelne

Befund in einen größeren Sinnzusammenhang einordnen lässt. Entwickeln Sie während Ihrer Prüfungsvorbereitung bereits Strategien, um diese Zusammenhänge darzustellen (in unserem Beispiel Vergleich der klassischen Motivationspsychologie mit den handlungstheoretischen Ansätzen).

Einzelbefund in größeren Zusammenhang einordnen

1.3 Themengebiet strukturieren

Mitunter können Sie wählen, mit welchem Themengebiet Sie Ihre Prüfung beginnen möchten. Sprechen Sie mit Ihrem Prüfer rechtzeitig darüber und entscheiden Sie sich für ein Gebiet, das sich leicht mit Ihren anderen Themengebieten verknüpfen lässt. So können Sie die Prüfung mit gestalten, indem Sie selbstständig von einem Themengebiet zum anderen überleiten. Sie können aber natürlich auch mit dem Themengebiet anfangen, in dem Sie sich am sichersten fühlen. So sorgen Sie für einen guten Einstieg und können der weiteren Prüfung entspannter entgegensehen.

Themengebiete selbstständig verknüpfen

Fragen Sie Ihren Prüfer, ob Sie mit einem Kurzvortrag von drei Minuten in Ihr Thema einführen können. Wenn Ihr Prüfer damit einverstanden ist, schlagen Sie mehrere Fliegen mit einer Klappe: Sie beginnen die Prüfung mit einem selbstgewählten Einstieg, Sie können sich gründlich vorbereiten, Sie können für einen „guten Eindruck“ sorgen und Spannung reduzieren. Sie müssen nur darauf achten, diesen Vortrag wirklich auf drei Minuten zu begrenzen. Üben Sie vorher mit der Stoppuhr in der Hand!

Kurzvortrag

Selbstverständlich werden Sie – in Fächern mit entsprechender Prüfungsordnung – Ihre Spezialgebiete mit Ihren Prüfern absprechen. Führen Sie aber darüber hinaus ein oder zwei Wochen vor der Prüfung ein letztes klärendes Vorgespräch. Bereiten Sie sich auf dieses Sprechstundengespräch gründlich vor: geben Sie Ihren Prüfern von sich aus einen kurzen Überblick über die Fragen, mit denen Sie sich beschäftigt haben, und versuchen Sie, einen Zusammenhang zwischen diesen Fragen herzustellen. Weisen Sie ebenso auf Zusammenhänge zwischen Ihren verschiedenen Teilgebieten hin. Ihre

Vorgespräch führen, Aspekte nennen

Prüfer können Ihnen dann in diesem vorbereitenden Gespräch eventuell schon Hinweise auf den möglichen Prüfungsverlauf geben. In der Prüfung selber können sie auf diese Verbindungen zurückgreifen, wenn es darum geht, von einem Gebiet zum nächsten zu wechseln. So erhalten Sie entweder bereits vor der Prüfung strukturierende Hinweise oder Sie bewegen sich in der Prüfung auf sicherem Boden.

Liste der gelesenen Forschung

Bieten Sie Ihren Prüfern auch eine Liste der Forschungsliteratur an, die Sie verarbeitet haben. Aber nehmen Sie zu Ihrer eigenen Sicherheit nur solche Titel auf, die Sie tatsächlich kennen.

Thesenpapier

Wenn Ihr Prüfer damit einverstanden ist, können Sie auch zu jedem Themengebiet ein Thesenpapier vorbereiten, das Sie rechtzeitig vor der Prüfung einreichen. Es sollte die wichtigsten Thesen enthalten, die Sie in der Prüfung erläutern wollen. Sie können natürlich nicht sicher sein, dass Sie ausschließlich nach diesen Thesen gefragt werden. Im Notfall aber hat Ihr Prüfer eine Liste der Diskussionsgegenstände in der Hand, die Sie auf jeden Fall beherrschen.

aktueller Einstieg?

Überlegen Sie vorbereitend, ob Sie zu Ihrem Themengebiet vielleicht eine originelle Idee haben, die Sie entweder als Einstieg – wenn Sie mit einem Kurzvortrag beginnen – oder als Aufhänger für eine Antwort wählen können. Vielleicht hat Ihr Thema einen aktuellen Bezug, den Sie ansprechen können. Vielleicht gab es in jüngster Zeit im Umkreis Ihres Themas eine Ausstellung, eine Lesung, eine Diskussion, eine Sendung? Sie *müssen* nicht unbedingt einen Aufhänger für Ihr Thema finden – nutzen Sie aber die Gelegenheit, wenn sich ein lockerer Einstieg in die Diskussion anbietet.

einleitende Sätze überlegen

Formulieren Sie vorbereitend ein paar Einleitungssätze für jedes Thema. Mit diesen Fertigteilen können Sie Denkpausen überbrücken und flüssig ins Prüfungsgespräch hineinkommen. Bereiten Sie je nach Spezialgebiet ein paar Sätze zur historischen Einordnung Ihres Themas vor oder halten Sie einige Definitionen parat.

Beispiele parat haben

Überlegen Sie auch, welche Beispiele Sie für welches Thema anführen können. Oft werden Prüflinge gebeten, einen Sachverhalt an selbstgewählten Beispielen zu demonstrieren: Sie müssen die Beispiele nicht auswendig lernen, aber sinngemäß anführen können.

1.4 Prüfung üben

So wie Sie sich für die Klausur durch Probeklausuren vorbereiten können, so können Sie auch die mündliche Prüfung üben.

Ergebnisse in der Gruppe vortragen

Tragen Sie in einer Arbeitsgruppe Ihre Ergebnisse vor. Beantworten Sie möglichst viele Fragen Ihrer Zuhörer. Lassen Sie sich bei den Antworten auch hin und wieder unterbrechen oder reagieren Sie auf Nachfragen.

sich selber Fragen stellen

Stellen Sie sich während Ihrer Prüfungsvorbereitung auch immer wieder selber Fragen und beantworten Sie diese Fragen laut. Bauen Sie auch einen Überraschungseffekt ein: schreiben Sie alle relevanten Fragen auf Zettel und ziehen Sie hin und wieder eine „Überraschungsfrage". Sie können auf diese Weise üben, Ihr Wissen schnell abzurufen.

Tricks ausprobieren

Beobachten Sie in diesen Miniprüfungen Ihre eigenen Reaktionen: Wann werden Sie unsicher? Wie gehen Sie mit Unsicherheit um? Was hilft Ihnen? Versuchen Sie, einige Tricks zu erlernen, um in einer heiklen Situation den Überblick zu behalten.

Setting der Prüfung kennen lernen

Ihre Prüfungsvorbereitung besteht aber nicht allein aus der gründlichen inhaltlichen Vorbereitung, sondern auch aus Vorüberlegungen und Informationen zum Setting der Prüfung. Schauen Sie sich, wenn möglich, längere Zeit vor der Prüfung bereits den Prüfungsraum an. So können Sie sich bei Ihren imaginierten Prüfungen das reale Setting konkret vorstellen. Dieses innere Bild bewirkt, dass Ihnen später in der Prüfung die Situation schon ein wenig vertraut ist.

Nehmen Sie als Zuhörer an öffentlichen Prüfungen teil, wenn dies in Ihrem Fach möglich ist. Sie lernen so am besten die Atmosphäre der Prüfung, den Prüfungsstil verschiedener Prüfer und die unterschiedlichen Strategien der Prüflinge kennen.

Informieren Sie sich *vor Beginn* Ihrer Prüfungsvorbereitungen gründlich über die Anforderungen der verschiedenen kurz vor der Prüfung schlechte Nachrichten ausblenden

Prüfenden und über ihre „Eigenarten“, *kurz vor der Prüfung* aber schalten Sie ab. Schützen Sie sich vor Hiobsbotschaften ebenso wie vor den Erfolgsmeldungen Ihrer „Leidensgenossen“. Schlechte Nachrichten werden Sie zu diesem Zeitpunkt nur verunsichern, Siegesmeldungen werden Sie wahrscheinlich zu Vergleichen mit Ihrem eigenen Können herausfordern. Beides tut Ihnen so kurz vor der Prüfung nicht gut.

Rufen Sie sich dagegen lieber Ihre effektive Vorbereitung ins Gedächtnis, Ihre erfolgreichen Probeprüfungen und Ihre gelungenen Minivorträge. Machen Sie sich bewusst, dass Sie in der Lage sind, Ihre Prüfung mit zu gestalten, und nehmen Sie sich vor, Ihre Rolle in der Prüfung *aktiv* zu spielen.

2. Verhalten in der Prüfung

2.1 Frage – Antwort

genau auf die Fragen hören

Hören Sie zunächst unbedingt genau auf die Fragen. Bei Verständnisschwierigkeiten fragen Sie interpretierend nach. Machen Sie deutlich, wie Sie die Frage verstehen – Ihr Prüfer kann die Fragerichtung dann gegebenenfalls korrigieren.

lautes Nachdenken üben

Üben Sie sich deshalb rechtzeitig in der Technik des „lauten Nachdenkens“. Interpretieren Sie die gestellte Frage, indem Sie darstellen, wie Sie gerade versuchen, sich ihr zu nähern: *Ich überlege bei dieser Frage gerade, welche Merkmale hier genau gemeint sind; mir fällt A, B und C ein; vielleicht fange ich am besten mit C an?* Auf eine solche „suchende Antwort“ werden Sie mit Sicherheit eine Rückmeldung bekommen: Ihre Prüferin ermuntert Sie fortzufahren, korrigiert Sie oder stellt ihre Frage noch einmal in anderer Form.

alternative Angebote bei Nichtwissen

Bei Nichtwissen machen Sie alternative Angebote: wenn Sie z.B. mit dem gegebenen Beispiel nichts anfangen können, aber ein anderes parat haben, bieten Sie an, die Frage an *Ihrem* Beispiel zu beantworten.

Wenn Sie wirklich vollkommen überfragt sind, geben Sie Ihr Nichtwissen zu. In jeder Prüfung darf der Prüfling auch

Lücken und Aussetzer haben, ohne dass es der Note nachhaltig schadet.

Aussetzer dürfen sein!

Antworten Sie immer zunächst präzise auf die gestellte Frage: es muss deutlich werden, dass Sie den Kern der Frage verstanden haben und zielgenau antworten können. Entwickeln Sie anschließend selbstständig weiterführende Gedanken:

Kern der Frage beantworten

weiterführende Gedanken entwickeln

- Begründen Sie Ihre Antwort
- Geben Sie Beispiele
- Führen Sie kontroverse Forschungsmeinungen an und äußern Sie sich kritisch dazu
- Stellen Sie den Zusammenhang dar, in dem sich die Frage betrachten lässt
- Ziehen Sie Parallelen zu verwandten Themengebieten.

Versuchen Sie, so viel wie möglich selbstständig zusammenhängend darzustellen. Ihre Prüferin wird Ihnen schon rechtzeitig signalisieren, wenn sie zu einem anderen Thema übergehen möchte. Jeder Prüfende aber ist froh über einen Prüfling, dem er die Antworten nicht Satz für Satz entlocken muss. Sobald der Prüfling von sich aus Zusammenhänge darstellt, kann sich zwischen Prüfer und Prüfling ein Gespräch entwickeln, das über das bloße Abfragen hinaus geht. Das wirkt sich in jedem Fall positiv auf die Prüfungsatmosphäre und die Note aus.

Es hängt also auch von Ihnen ab, wie die Prüfung abläuft: wenn Sie ängstlich und stockend antworten und sich die Antworten einzeln „aus der Nase ziehen“ lassen, manövrieren Sie sich selber leicht in die Rolle des unselbstständigen Kindes hinein. Dadurch drängen Sie Ihren Prüfer in die überlegene Rolle des Wortführers. Wenn Sie dagegen souverän und selbstständig argumentieren, kann sich ein Gespräch unter Experten entwickeln, in dem Sie eine aktive Rolle spielen können.

Prüfungsverlauf aktiv mit gestalten

Wenn Sie nach einer zielgenauen Antwort weiter ausgeholt haben, so leiten Sie abschließend immer zur Ausgangsfrage zurück. Sie schließen damit den Kreis und zeigen, dass Sie den Zusammenhang Ihrer Argumentation überschauen.

Kreis schließen

Beispiel für das Schließen des Kreises

Kommen wir noch einmal auf den oben gewählten Themenbereich „handlungstheoretische Motivationsmodelle" zurück. Nehmen wir an, Sie werden gebeten, die Rolle von Anreizen im kognitiven Motivationsmodell darzustellen. Nachdem Sie die unterschiedlichen Anreizebenen und Anreizformen entwickelt haben, leiten Sie zur Unterscheidung von Ergebniserwartung (eine Handlung wird das gewünschte Ergebnis haben) und Wirksamkeitserwartung (ich werde in der Lage sein, diese Handlung auszuführen) über. Sie stellen dar, inwiefern diese Unterscheidung für die Beurteilung von Anreizen relevant ist. Anschließend kehren Sie zum handlungstheoretischen Motivationsmodell zurück und zeigen, dass die Motivationsanalyse dieses Zusammenspiel von zweck- und tätigkeitszentrierten Anreizen bislang nur unzureichend erklären kann.

Vorschau und Rückschau

Bauen Sie Vorschau und Rückschau in Ihre Argumentation ein: kündigen Sie Beispiele, Belege, Argumente an und greifen Sie auf zuvor Gesagtes zurück. Sie verdeutlichen damit die argumentative Struktur Ihrer Antworten.

Nachfragen aufgreifen

Lassen Sie sich nicht verunsichern, wenn Ihre Prüferin Ihre Position hinterfragt. Auf die Frage „Können Sie das beweisen?" oder „Trifft das denn hier zu?" schwenken Sie bitte *nicht* plötzlich um und behaupten das Gegenteil. Eine Nachfrage ist kein Widerspruch: die Prüferin möchte in der Regel nur herausfinden, ob Sie in der Lage sind, Ihr Wissen mit Argumenten zu verteidigen. Greifen Sie auch Kommentare Ihrer Prüferin auf, indem sie ihre Gedanken weiterspinnen.

Was tun bei Blackout?

Sollten Sie trotz guter Vorbereitung plötzlich vollkommen blockiert sein – der gefürchtete Blackout – , so denken Sie ganz kurz an etwas völlig anderes und kehren dann mit einem neuen Anlauf zu Ihrem Thema zurück. So holen Sie Ihre Gedanken aus der Sackgasse heraus und lösen Ihre vorübergehende Stressblockade auf.

Durch mentales Training können Sie darüber hinaus lange vor der Prüfung den Umgang mit einem eventuellen Blackout üben. So vorbereitet gehen Sie ruhiger in die Prüfung und können besondere Stresssituationen besser bewältigen (vgl. Kapitel 10).

2.2 Kommunikation mit den Prüfenden

Besonders wichtig ist es für Sie, während der gesamten Prüfung den Kontakt zu Ihren Prüfern aufrecht zu erhalten. das bedeutet: steigen Sie nicht innerlich aus, weil Sie meinen, dass die Prüfung schlecht läuft und Sie nichts mehr zu verlieren haben. In der Prüfungssituation selber können Sie nur sehr schlecht beurteilen, wie Ihre Leistung von den Prüfenden gesehen wird. Versuchen Sie nicht, Ihre Leistung während der Prüfung selber zu bewerten und versuchen Sie auf keinen Fall, aus Mimik, Gestik und Tonfall Ihrer Prüfer Rückschlüsse auf die Qualität Ihrer Antworten zu ziehen. Erstens täuscht man sich leicht und zweitens ziehen Sie damit wichtige Energien ab, die Sie besser in Ihre Argumentation und in Ihre Kommunikation mit den Prüfenden investieren sollten.

sich während der Prüfung nicht selber bewerten

Wissensangebote
Die Kommunikation mit den Prüfenden bauen Sie nicht allein durch richtige Antworten auf, sondern auch durch Wissensangebote: *Mir fällt hierzu ein konkretes Beispiel ein, an dem ich dieses Prinzip erläutern könnte.* Verknüpfen Sie Gedanken selbstständig: *Ganz ähnliche Ergebnisse hat man übrigens auch bei XY gewonnen.* Spinnen Sie Ihre Argumentation weiter: *Wenn man diese Theorie zu Ende denkt, bedeutet das* ... Formulieren Sie eigene Fragen: *Dieses Modell lässt sich zwar auf den gerade skizzierten Fall gut anwenden, man könnte aber überlegen, welche Variablen man beachten muss, wenn sich die Rahmenbedingungen ändern.*

Wissensangebote machen

Humor
Auch eine lockere, vielleicht lustige oder selbstironische Bemerkung kann das Prüfungsgespräch entkrampfen: *Ich würde jetzt natürlich gern wie aus der Pistole geschossen antworten, aber leider hab' ich grade eine kleine Ladehemmung – ich fange am besten noch mal von vorne an.*

Humor einsetzen

Reden lernen
Nutzen Sie Heinrich von Kleists Erfahrung „Über die allmähliche Verfertigung der Gedanken beim Reden" (so der Titel

während des Redens entwickeln sich die Gedanken

seines berühmten Aufsatzes von 1805/1806): beginnen Sie mit Ihrer Antwort, auch wenn Ihnen noch nicht jedes Detail gegenwärtig ist. Während Sie einen Zusammenhang entwickeln, werden Sie sich beim Reden an die Einzelheiten erinnern. Wenn Ihr Gedächtnis Sie dennoch im Stich lässt, fangen Sie dort an, wo Sie einen Zipfel der gesuchten Information erwischen können: *Ich weiß, dass es hier drei konkurrierende Theorien gibt. Eine davon ist aus den zwanziger Jahren, die beiden anderen sind neueren Datums. Die ältere ....* Während Sie darstellen, was Sie parat haben, werden Ihnen sehr wahrscheinlich die fehlenden Puzzleteile nach und nach einfallen, weil jede Information eine weitere nach sich zieht. Probieren Sie es aus!

Spontanvortrag

Die Wirkung dieser „allmählichen Verfertigung der Gedanken beim Reden“ können Sie erfahren und durch Übung verstärken, wenn Sie hin und wieder folgendes Experiment machen: Wählen Sie ein beliebiges, nicht sehr ausgefallenes Substantiv wie „Spiel“, „Beton“, „Zeitung“ oder „Brot“ als Stichwort. Bereiten Sie Zettel mit ganz unterschiedlichen Stichwörtern vor und ziehen Sie einen beliebigen Zettel.

Abbildung: Stichwörter für Kurzvorträge

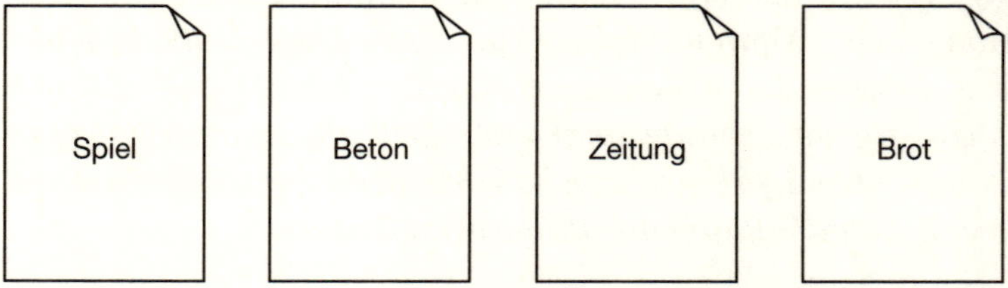

Reden Sie ohne Vorbereitung zwei Minuten aus dem Stegreif über Ihr Stichwort. Sie werden merken, wie sich Ihre Gedanken beim Reden entwickeln. Sie werden die Erfahrung machen, dass Sie durch Füllsätze Zeit für weiterführende Gedanken gewinnen. Sie werden in diesen Spontanvorträgen üben, mit Gedanken- und Sprechhemmungen umzugehen, und Sie werden immer wieder erstaunt feststellen, dass Sie – selbst ohne Vorbereitung – flüssig reden können. Am besten funktioniert diese Übung natürlich, wenn ein Mitspieler Ihnen ein Stichwort gibt und sich Ihren Kurzvortrag anhört. Zuhörer entdecken oftmals auch besser, welche hilfreichen Strategien Sie selber unbemerkt bereits anwenden. Lassen Sie sich von Ihren Zuhörern darauf aufmerksam machen und setzen Sie anschließend Ihr Repertoire gezielt ein. So gewinnen Sie ein sicheres Gefühl Ihrer eigenen Kompetenz.

hilfreiche Strategien bewusst nutzen

Geben Sie Ihrem Gedächtnis Zeit, um vorübergehend verschüttete Informationen wieder zu finden. Überbrücken Sie diese „Pausen" durch Füllsätze wie *Diese Frage lässt sich aus verschiedenen Perspektiven beantworten* oder *Hierzu fallen mir ganz unterschiedliche Beispiele ein. Ich überlege gerade, welches die wichtigsten Merkmale wohl am deutlichsten illustrieren könnte* oder *Die Forschung hat sich in letzter Zeit immer wieder mit dieser Frage beschäftigt, allerdings ist man zu recht unterschiedlichen Schlüssen gekommen.* Ein solcher „Pausenfüller" gibt Ihrer Erinnerung hinreichend Zeit, die relevanten Informationen zu finden.

Füllsätze parat haben

Körpersprache und Blickkontakt

Achten Sie in Ihren Probeprüfungen auch auf Ihre Körpersprache: wenn Sie dazu neigen, Ihre Rede mit Gesten zu begleiten, behalten Sie diese Gewohnheit auch in der Prüfung bei: Gesten verhelfen unseren Gedanken zum Ausdruck, weil Gedanken oft in der Bewegung schon vorgeprägt sind, bevor sie in Worte gefasst werden.

Gesten helfen reden

Bemühen Sie sich auch, mit Ihren Prüfern im Blickkontakt zu bleiben. Natürlich können Sie Ihren Blick in die Ferne richten, um Ihre inneren Bilder aufzurufen, beim Sprechen aber kehren Sie möglichst immer wieder einmal in den Blickkontakt zurück. Ein Prüfling, der aus dem Prüfungsgespräch aussteigt, Antworten verweigert, sich selber blockiert, unterbricht in der Regel zuerst den Blickkontakt, gibt als Nächstes seine Körperspannung auf und versinkt erst dann in Schweigen. Umgekehrt werden Sie merken, dass das Prüfungsgespräch lockerer verläuft, wenn Sie durch Blickkontakt mit Ihren Prüfenden in Verbindung bleiben.

Blickkontakt halten

Versuchen Sie auch, nicht wie ein Häuflein Elend vor Ihrer Prüferin zu erscheinen. Ob Sie es wollen oder nicht, signalisiert eine aufrechte Körperhaltung in der Prüfungssituation

Prüfungsbereitschaft signalisieren

gespannte Erwartung und die Bereitschaft, die Herausforderung der Prüfung anzunehmen. Und das ist genau der Eindruck, den Sie erwecken wollen!

Was tun bei Nervosität?
Natürlich weiß jeder Prüfende, dass Sie nervös sind. Ihre Nervosität wird auch als selbstverständlich akzeptiert. Deshalb betonen Sie nicht permanent *Ich bin ja so nervös. Ich kann mich so schlecht konzentrieren. Ich bin so aufgeregt.* Wenn Sie wirklich mitten im Prüfungsgespräch vor Aufregung nicht antworten können, so bitten Sie ein Mal um eine kurze Pause: *Ich bin gerade sehr aufgeregt. Könnten wir vielleicht eine ganz kurze Pause machen?* Stehen Sie auf, gehen Sie ans Fenster, schauen Sie nach draußen, atmen Sie tief ein und doppelt so lange gründlich wieder aus, dann halten Sie einen kurzen Moment inne, bevor Sie wieder tief einatmen. Wiederholen Sie dieses Ein- und Ausatmen noch zwei Mal. Dann kehren Sie unaufgefordert zu Ihren Prüfern zurück. *Danke, ich glaube, jetzt geht es wieder.* Sie werden merken, wie diese kurze Unterbrechung Ihre Konzentration stärkt. Allein die *Vorstellung*, dass Sie die Prüfung kurz unterbrechen könnten, wenn Sie wollten, hilft mitunter schon, Ihre Aufregung in Grenzen zu halten. Denn diese Vorstellung stärkt Ihre Rolle als aktiver Akteur in einem „Prüfungsspiel“, dem Sie keineswegs hilflos ausgeliefert sind.

nicht „lamentieren"!

kurze Unterbrechung?

3. Was müssen Sie können?

selbstständig mit Wissen umgehen

In der Prüfung sollen Sie beweisen, dass Sie mit Wissen selbstständig umgehen können. Das bedeutet, Sie müssen eine Position vertreten, Ihre Meinung klar formulieren und begründen. Wie erreichen Sie das?

Stellung beziehen

- Beziehen Sie Stellung und legen Sie Ihre Position präzise und verständlich dar

Zusammenhänge herstellen

- Erklären Sie Ihre Position im Zusammenhang der Themenstellung

- Abstrahieren Sie zunächst vom konkreten Beispiel und geben Sie einen Überblick
- Verknüpfen Sie Aspekte selbstständig und führen Sie Gedanken vertiefend weiter
- Leiten Sie nach einem Beispiel wieder zur Ausgangfrage zurück
- Ziehen Sie Folgerungen aus Ihren Beispielen, Belegen und Forschungsüberblicken.

Überblick geben

Aspekte verknüpfen

zur Ausgangsfrage zurückführen

Folgerungen ziehen

Rückblick

Bereiten Sie sich darauf vor, Ihr Wissen flexibel einzusetzen. Stellen Sie Ihr konkretes Thema in einen übergreifenden Zusammenhang und leiten Sie selbstständig von einem Aspekt zum nächsten über. Üben Sie die Prüfungssituation ein. In der Prüfung selber hören Sie genau auf die Frage und antworten Sie zielgenau. Bei Nichtwissen fragen Sie erst einmal nach oder machen Sie alternative Angebote. Bleiben Sie während der Prüfung mit Ihren Dozenten in Kontakt und beteiligen Sie sich aktiv an der Prüfungsgestaltung.

Kapitel 10

Tipps zur Stressbewältigung

Tipps zur Stressbewältigung

1. Wie entsteht Stress?
- Situationen, Gedanken, Bewertungen
- Steigerung der Leistungsbereitschaft

2. Prüfungsangst verstehen
- ABC der Stressfaktoren
- Auslöser

3. Lösungen finden
- Brainstorming
- äußere Stressfaktoren vermindern
- Bewertungen überprüfen
- Perspektivenwechsel
- Gedankenstopp
- Autosuggestion
- Ressourcen nutzen
- Entspannung

4. Stress während der Prüfung bewältigen

Wie entsteht eigentlich Stress? Woher kommt Prüfungsangst? Muss man sie bekämpfen oder akzeptieren? Leiden alle Prüflinge unter Prüfungsangst? Welche Strategien gibt es gegen Prüfungsstress? – Bestimmt haben Sie sich hin und wieder schon ähnliche Fragen gestellt.

1. Wie entsteht Stress?

Reaktion auf Bedrohung des Selbstwertgefühls

Negativer Stress in der Prüfungsphase ist eine Reaktion Ihres Körpers und Ihrer Psyche auf die Angst vor einer bedrohlichen Situation. Ausgelöst wird diese Reaktion durch Gedanken und Vorstellungen und deren Bewertung. Auf eine gefürchtete Bedrohung Ihres Selbstwertgefühls reagieren Ihre Gefühle mit Abwehr und Flucht: von Nervosität, Niedergeschlagenheit, innerer Unruhe, Anspannung und ständigem Grübeln über Hilflosigkeit, Angst und Denkblockaden bis zu Panik reicht die Skala der Reaktionen. Auch Ihr Körper reagiert mit heftiger Erregung: Herzklopfen, erhöhte Muskelspannung, Schweißausbrüche, Übelkeit, Verdauungsprobleme und Kopfschmerzen sind häufige Symptome. Wie stark der Erregungspegel steigt, hängt von Ihrer individuellen Einschätzung und „Programmierung" ab: als wie bedrohlich erleben Sie die Prüfungssituation, wie groß ist Ihre Angst vor Misserfolgen oder Ihr Vertrauen in Ihre Leistungsfähigkeit? Wie stark neigen Sie auch in anderen Situationen eher zu düsteren Selbstprognosen oder zu optimistischen Erfolgsszenarien?

Abbildung 1: Zusammenhang von Anspannung und Effektivität (Yerkes-Dodson-Gesetz)

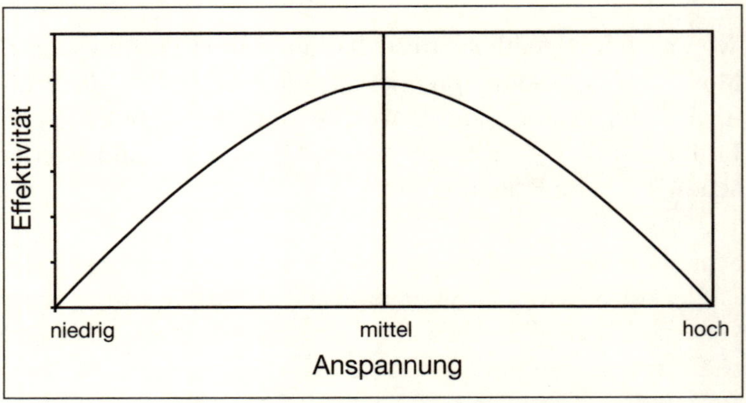

Prüfungsangst mobilisiert Energien

Neben diesen negativen Folgen aktiviert Ihre Prüfungsangst aber auch Ihre Energiereserven und macht Sie wach, konzentriert und leistungsfähig. Mehr oder weniger alle Prüflinge erleben diese emotionale und körperlich fühlbare Aufregung und Anspannung. Ob diese Aktivierung als Energiegewinn oder als Blockade erlebt wird, hängt vom Maß der Erregung ab. Ein mittleres Maß an Erregung gibt Ihnen den Schwung, den Sie für Ihre Prüfung brauchen (vgl. Abb. 1). Nutzen Sie deshalb Ihren positiven Stress zur Steigerung Ihrer Leistungsbereitschaft und Ihrer Motivation.

Etwas Aufregung wirkt also durchaus stimulierend! Erst wenn Angst und Aufregung Sie blockieren, sollten Sie etwas dagegen unternehmen. Sie können Ihre Prüfungsangst nicht ausrotten, aber Sie können lernen, sie zu akzeptieren und sie sich zunutze zu machen.

2. Prüfungsangst verstehen

Um Ihre Prüfungsangst in den Griff zu bekommen, beginnen Sie damit, sie zu verstehen. Lernen Sie das ABC der Stressfaktoren kennen:

ABC der Stressfaktoren

A. (**A**ctivating Events): Welche Auslöser führen bei Ihnen zu Stress, Angst, Panik? Der Gedanke an die Prüfung oder an den Prüfer, der Anblick der Fachbücher, das Gespräch mit „Leidensgenossen“, Erinnerungen an frühere Prüfungen?
B. (**B**eliefs): Wie denken Sie über die vorgestellten Situationen? Welche inneren Bilder tauchen auf? Welche Sätze gehen Ihnen durch den Kopf?
C. (**C**onsequences): Wie fühlen Sie sich in diesen Situationen? Hilflos, schwach, aufgeregt, durcheinander, kopflos?

Gefühle registrieren

Schreiben Sie einmal die Antworten auf alle drei Fragen auf. Entdecken Sie, welche Situationen Sie am häufigsten in Angst versetzen. Lauern Sie jetzt aber *nicht* ängstlich auf jedes Zeichen innerer Unruhe, jedes Herzklopfen, steigern Sie sich *nicht* in Ihre negativen Gefühle hinein: Sie verstärken auf diese Weise nur Ihre Prüfungsangst. Betrachten Sie dagegen lieber wie ein Beobachter von außen Ihre Gefühle und Reaktionen und versuchen Sie, sich selber auf die Spur zu kommen.

Bei den meisten Menschen führen die folgenden Faktoren zu mehr oder minder starken Stressreaktionen:

- ♦ eine weitgehend unbekannte Anforderung
- ♦ eine unkontrollierbare Situation
- ♦ eine nicht vorhersehbare Situation oder Entwicklung
- ♦ eine mehrdeutige, nicht transparente Situation.

Welche Auslöser?

realistische Einschätzung?

Ob eine solche Konstellation tatsächlich zu Stressreaktionen führt, hängt im Einzelfall von der subjektiven Wahrnehmung und der eigenen Bewertung ab. Prüfen Sie deshalb zunächst, welche Auslöser vorliegen und überlegen Sie anschließend, ob Ihre Gedanken wirklich die jeweilige Situation treffen oder ob Sie die Gefahren überschätzen, die Bedrohung steigern, die Angst verstärken. Und dann überlegen Sie, ob dieses Katastrophenszenario Ihnen hilft, sich gut zu fühlen und sich optimal auf Ihre Prüfung vorzubereiten.

3. Lösungen finden

3.1 Brainstorming

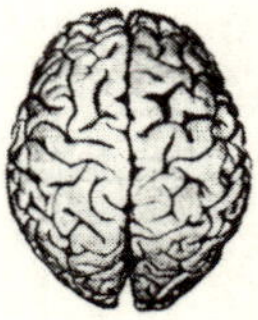

Ideen sammeln

eigene Situation von außen sehen

Wenn Sie Ihre Angstauslöser entdeckt haben, machen Sie sich daran, Schritt für Schritt neue Strategien zu entwickeln. Sammeln Sie Ideen zur Bewältigung Ihrer Prüfungsangst. Notieren Sie auf einem großen Blatt Papier *alle* Einfälle, ohne sie zu bewerten. Es ist zunächst egal, ob Sie die Umsetzung für realistisch oder passend halten; es kommt nur darauf an, möglichst vielfältige Lösungsansätze zu finden. Oft sind es gerade die außergewöhnlichen Ideen, die Ihnen neue Wege eröffnen. Oft ist es hilfreich, die eigene Situation einmal von außen zu sehen. Fragen Sie sich:

- ♦ Was würde ein Prüfling in meinem Bekanntenkreis denken, den die Prüfung weniger belastet als mich?
- ♦ Was würde ich einem Freund, der unter ähnlichem Prüfungsstress leidet, empfehlen?

Fragen Sie auch Ihre Freunde und Bekannten, welche Tipps sie Ihnen geben würden. Tauschen Sie Ihre positiven Erfahrungen mit anderen Prüflingen aus.

Nach Ihrem Brainstorming überlegen Sie als nächstes, welcher Lösungsweg Ihnen am meisten helfen könnte. Konzentrieren Sie sich dabei ganz auf das gewünschte Ergebnis. Prüfen Sie noch nicht, ob Sie diesen Weg auch wirklich gehen können, welche Veränderungen sich dadurch in Ihrem Alltag ergeben, was Ihre Mitmenschen dazu sagen könnten. Prüfen Sie nur, ob diese Alternative Sie in Ihrem Prüfungsstress entlasten kann. Wählen Sie nun vorläufig *eine* Idee aus und legen Sie die einzelnen Teilschritte fest, die Sie tun müssen, um Ihre Idee umzusetzen. Halten Sie diese Schritte schriftlich fest und machen Sie sich einen „Fahrplan“, welchen Schritt Sie wann tun werden. Dabei tauchen vielleicht praktische Schwierigkeiten auf. Notieren Sie auch diese Schwierigkeiten und suchen Sie nach möglichst einfachen Lösungen.

Veränderungen angehen

Nehmen wir einmal an, Sie denken während des Lernens plötzlich an die Prüfungssituation und an Ihren Prüfer. Ihr Herz fängt an zu rasen und Sie können keinen klaren Gedanken mehr fassen. Was könnten Sie tun?

Ideensammlung

1. Springen Sie sofort auf, legen Sie eine griffbereite CD auf und tanzen Sie zwei oder drei Minuten heftig.
2. Hängen Sie einen Satz, ein Gedicht, einen Slogan, der Sie beruhigt, verdeckt über Ihrem Schreibtisch auf. Drehen Sie das Blatt bei Stressattacken sofort um und lesen Sie sich den Text mehrmals laut und langsam vor.
3. Hängen Sie einen beweglichen Hampelmann an die Wand, lassen Sie ihn einige Male tanzen und schmunzeln Sie über die Gedanken, die auftauchen!
4. Bringen Sie ein ganz kleines Rollo irgendwo in Ihrem Arbeitszimmer an und ziehen Sie es herunter, um Ihren „Angstgegner“ aktuell aus Ihren Gedanken auszublenden.
5. Machen Sie einen kurzen Spaziergang (durch den Park, um den Block, am See entlang) und versuchen Sie, Ihre Umwelt bewusst wahrzunehmen: Wie riecht es? Was für Farben sehe ich um mich herum? Welche Geräusche höre ich? Wie fühlt sich das Blatt, die Baumrinde an?

6. Schauen Sie sich Fotos von einem schönen Ereignis an (Urlaub, Strand, Bergtour, Ausflug, Freunde ...), versetzen Sie sich dabei zurück in diese Situation. Vielleicht planen Sie in Gedanken einen ähnlichen Urlaub, Ausflug, wenn Sie die Prüfung geschafft haben.
7. Wenn Sie ein eigenes Tier haben: gehen Sie mit ihm spazieren, streicheln Sie es oder versorgen Sie es.
8. Malen Sie ein Bild: eine Karikatur ihrer Prüfer, und lachen Sie herzhaft darüber!

Finden Sie noch andere originelle Ideen und probieren Sie sie aus!

Wege zur Stressreduzierung

Um Prüfungsangst und Prüfungsstress zu vermindern, können Sie ganz unterschiedliche Wege einschlagen:

- äußere Bedingungen verbessern
- eigene Wahrnehmung/Bewertungen/Phantasien überprüfen
- Perspektivenwechsel
- Gedankenstopp
- Autosuggestion
- Ressourcen nutzen
- Entspannungstraining.

3.2 Äußere Stressfaktoren vermindern

äußeren Stress durch Planung reduzieren

Versuchen Sie zunächst, äußere Stressfaktoren zu reduzieren: planen Sie Ihre Vorbereitungszeit sorgfältig, sammeln Sie so viele Informationen wie möglich über Prüfungsanforderungen, Prüfungsverlauf, Prüfer und Prüfungsumfeld; probieren Sie unterschiedliche Lernstrategien aus und entdecken Sie *Ihre* Favoriten. Überprüfen Sie Ihre Lernbedingungen und stellen Sie schließlich durch einen Lerncheck sicher, dass Sie Ihr Basiswissen beherrschen. Delegieren Sie vorübergehend, wenn möglich, alltägliche Aufgaben an Familienmitglieder, Freunde und Bekannte, um möglichst viel ungestörte Zeit zum Lernen zu haben.

3.3 Bewertungen überprüfen

Überprüfen Sie Ihre Wahrnehmung kritisch: entsprechen Ihre Annahmen über die Prüfungsanforderungen, die Prüfer und den Prüfungsverlauf wirklich der Realität?

Bewertungen hinterfragen

Hinterfragen Sie Ihre Bewertungen und Phantasien. Entwerfen Sie aufbauende Gegengedanken. Wenn Sie das Gefühl vollkommener Hilflosigkeit überfällt – *Ich habe keine Ahnung, was drankommen wird* – , sagen Sie sich: *Ich habe mich auf die häufigsten Fragen vorbereitet. Ich werde also auf alle Fälle die Einstiegsfragen beantworten können.* Wenn Sie fürchten, in der mündlichen Prüfung einen völligen Blackout zu haben, sagen Sie sich: *Ich habe viel und systematisch gelernt. Wenn mir trotzdem gar nichts mehr einfällt, bitte ich um eine kurze Pause. Danach wird mein Kopf wieder klar sein.* So gibt es für jede Befürchtung eine Gegenstrategie.

positive Gegengedanken

Zwei-Spalten-Methode

In einer ruhigen Stunde, wenn Sie nicht akut unter Stress stehen, wenden Sie einmal die Zwei-Spalten-Methode zur realistischen Selbsteinschätzung an:

ein Weg zur realistischen Selbsteinschätzung

Notieren Sie auf einem großen Blatt Papier in der linken Spalte alle Befürchtungen und Ängste und schreiben Sie dann in die rechte Spalte, was bei Tageslicht besehen an Ihren Befürchtungen wirklich dran ist:

Ich werde nichts wissen.	*Ich werde nicht alles wissen, das muss ich auch nicht, aber auf viele Fragen werde ich antworten können.*
Alle werden merken, wie nervös ich bin.	*Außenstehende merken gar nicht, wie aufgeregt ich bin. Wenn ich mal ins Stottern komme, fange ich den Satz einfach noch mal von vorne an.*

Ich werde mich dauernd verhaspeln und alles durcheinander bringen. Ich kriege bestimmt den totalen Blackout.	*Ich habe meine Mindmaps im Kopf, die funktionieren immer.*
Ich werde vor Aufregung kein Wort rausbringen.	*Wenn mir nicht gleich alles einfällt, fange ich einfach mal an zu reden, ich weiß ja, dass sich die Gedanken dann schon entwickeln.*

Mit diesem *realistischen* Selbstbild können Sie beruhigter in die Prüfung gehen.

3.4 Perspektivenwechsel

Oft führt auch ein Wechsel der Perspektive zu einer neuen Bewertung der Situation. Fragen Sie sich:

Fragen an mich selber

- *Welche Anforderung stellt die Prüfungssituation an mich?*
- *Was kann ich in dieser Situation für mich lernen?*
- *Welche Chancen bietet mir diese Situation?*
- *Wie werde ich in einem Jahr über meine Prüfung denken?*
- *Welche Bedeutung hat diese Prüfung wirklich für mein Leben?*

positive Aspekte der Prüfung

Sie werden erleben, dass Sie in jeder Prüfungsanforderung ein produktives Moment entdecken können. Sie werden lernen, Ihre Zeit effektiv zu planen, sich im Lernprozess auf das Wesentliche zu konzentrieren, Arbeitszeit und Freizeit ins Gleichgewicht zu bringen, sich selber zu motivieren, zu stärken und zu beruhigen, Anforderungen als Herausforderung zu interpretieren, Reserven zu mobilisieren und kommunikative Kompetenzen zu entwickeln.

Alle diese Fähigkeiten können Sie nach bestandener Prüfung wiederholt und dauerhaft nutzen. Also fragen Sie sich ruhig auch hin und wieder: *Was reizt mich an der Prüfung?*

Und Sie werden feststellen, dass das Bestehen einer Prüfung nur ein geringer Teil Ihres Lebens ist, wenn auch im Augenblick ein wichtiger.

Prüfung als Theatervorstellung imaginieren

Eine ganz andere Art des Perspektivenwechsels ist die vorübergehende Umdeutung der Prüfungssituation. Sie können sich z.B. vorstellen, Ihre Prüfung sei eine Theatervorstellung, in der die Mitspieler vorgegebene Rollen spielen. Wie sind die Rollen verteilt und welche Rolle spielen Sie? Wie wollen Sie Ihre Rolle spielen? Welches „Kostüm" werden Sie tragen? Welchen „Auftritt" wünschen Sie sich zu Beginn der „Vorstellung"? Wie können Sie Ihre „Rolle" aktiv gestalten? Welchen „Abgang" können Sie sich vorstellen? Diese Vorstellung des Theaterspiels kann sehr entlastend wirken. Sie gewinnen Abstand zu Ihren Ängsten und können mit diesem simplen Trick auch in der Prüfung selber unbelasteter agieren.

Angst vergegenständlichen

Eine andere wirkungsvolle Möglichkeit, Ihre Prüfungsangst zu beherrschen, ist die Vergegenständlichung Ihrer Angst: stellen Sie sich Ihre Prüfungsangst einmal als Gegenstand vor. Wie könnte dieser Gegenstand aussehen? Überlegen Sie nicht lange, sondern ergreifen Sie das erste Bild, das auftaucht. Ist es eine Zange, eine Wand, ein Stein oder etwas völlig anderes? Überlegen Sie jetzt, was Sie mit diesem Gegenstand machen könnten, um ihn zu verändern: vielleicht wollen Sie ihn in Gedanken verpacken; vielleicht möchten Sie ihn wegschließen, wegwerfen oder vergraben? Sie könnten ihn auch zerschneiden, behauen, bunt anmalen oder in seine Einzelteile zerlegen. Entscheiden Sie selber, welche Vorstellung Sie am meisten entlastet. Probieren Sie verschiedene Varianten aus.

3.5 Gedankenstopp

Probieren Sie bei hartnäckigen Panikattacken auch einmal den Gedankenstopp aus: sobald die Vision von Versagen und Blackout in Ihnen aufsteigt, rufen Sie sich ein deutliches „Stopp" zu. Brechen Sie den negativen Gedankengang sofort ab, stoppen Sie die Spirale aus Aufregung und Schwarzmalerei und bauen Sie stattdessen positive Gegenbil-

erfolgreiche Situation vorstellen

Angstspirale handelnd durchbrechen

der auf. Stellen Sie sich eine erfolgreiche Situation aus Ihrer Vergangenheit vor: Wie haben Sie sich gefühlt? Was hat Ihnen geholfen? Versuchen Sie, diese „Helfer" auch in der vor Ihnen liegenden Situation zu aktivieren. Oft hilft es auch, die negative Spirale aus Hilflosigkeit und Schwarzmalerei zusätzlich durch eine Handlung zu unterbrechen: wenn Sie merken, dass angsterregende Gedanken in Ihnen auftauchen, rufen Sie sich selber laut „stopp" zu, stehen Sie sofort auf, öffnen Sie das Fenster und machen Sie drei Kniebeugen. Sie können sich aber auch selber irgendeine andere simple Aktion ausdenken, die Ihre Angstspirale wirkungsvoll unterbricht: lassen Sie Ihrer Phantasie freien Lauf! Wichtig ist nur, dass Sie tatsächlich aktiv werden und so Ihren negativen Automatismus wirkungsvoll unterbrechen.

Gewohnheiten ändern?

Alternativen ausprobieren

Vielleicht müssen Sie auch manche Ihrer Gewohnheiten vorübergehend ändern, um Ihre Prüfungsangst in den Griff zu bekommen. Wenn Sie beim gemeinsamen Mittagessen regelmäßig nur prüfungsgestresste Kommilitonen treffen, werden Ihnen die Gespräche wahrscheinlich nicht gut tun. Wenn Sie beim Blick auf Ihren Schreibtisch voller Fotokopien und Exzerpte am liebsten sofort davonlaufen möchten, tun Sie es! Packen Sie Ihr Material zusammen und machen Sie einen „Ausflug" in die Universitätsbibliothek. Achten Sie auf Stressauslöser in Ihrem täglichen Umfeld und probieren Sie *sofort* Alternativen aus. Es macht Spaß, eingefahrene Gewohnheiten zu verändern und neue Wege zu entdecken!

3.6 Autosuggestion

Erfolgssatz

stärkende Rituale

Sie können Ihre positive Grundstimmung auch durch Autosuggestion verstärken. Denken Sie sich einen glaubwürdigen Satz aus, mit dem Sie sich Ihren Erfolg vor Augen stellen. Sagen Sie z.B. *Ich komme gut zurecht* oder *Ich kann das* oder *Ich schaffe das*. Stellen Sie sich vor, wie Sie in der Prüfung ruhig auf die Fragen hören und nach kurzem Nachdenken flüssig antworten. Wenn Sie dieses Bild aufgerufen haben, sprechen Sie sich laut Ihren Erfolgssatz vor. Am besten üben Sie diese positive Selbstverstärkung während Ihrer gesamten Prüfungsvorbereitung. Sie können auch bestimmte Rituale aufbauen, die Ihnen helfen, sich konzentriert und stark zu fühlen: Bewegungen wie das Zurücknehmen der Schultern und damit die Aufrichtung Ihres Körpers, das Victory-Zeichen oder das Zusammenlegen der Handflächen, das Schließen der Augen und das langsame Ein- und Ausatmen. Solche Rituale können Sie während der gesamten Prüfungsvorbereitung und auch kurz vor Beginn der Prüfung ausführen, um sich zu beruhigen.

Vielleicht stärkt auch ein persönlicher Talisman Ihr Selbstvertrauen? Probieren Sie es aus!

Talisman?

3.7 Ressourcen nutzen

Wer in Ihrem Bekanntenkreis könnte Sie beim Lernen unterstützen? Wer könnte Sie abfragen? Wer würde sich Ihre Kurzvorträge anhören? Wen können Sie anrufen, wenn Ihnen die Decke auf den Kopf fällt? Wer versteht es, Sie auf andere Gedanken zu bringen?

Was tut Ihnen im Alltag besonders gut? Welche „Highlights“ können Sie ohne großen Aufwand in Ihren Tagesablauf einbauen? Sorgen Sie dafür, dass *jeder* Tag ein ganz kleines angenehmes Erlebnis für Sie bereit hält. Lassen Sie sich etwas einfallen für Ihr Wohlergehen!

Was tut mir gut?

Entwerfen Sie für die Zeit Ihrer Prüfungsvorbereitung ein attraktives Freizeitprogramm. Sorgen Sie für genügend freie Tage/Wochenenden und schalten Sie richtig ab. Nehmen Sie Ihren Lernstoff nicht in Ihre Freizeit mit: diskutieren Sie nicht stundenlang über Ihre Spezialgebiete, planen Sie nicht in Gedanken die nächsten Arbeitsschritte, sondern genießen Sie hier und jetzt Ihr Hobby, das Zusammensein mit Freunden oder einfach das Faulenzen. Aber fallen Sie nicht vom Prüfungsstress in den Freizeitstress!

abschalten

Suchen Sie trotz Zeitdruck den Kontakt zu Freunden und Bekannten. Der Austausch mit anderen erleichtert und motiviert; der Blick auf andere mit anderen Aufgaben und Sorgen relativiert die eigene Belastung. Vielleicht können Sie auch mit Ihren

Humor als Ressource

Freunden gemeinsam hin und wieder über Ihre Prüfungsangst lachen. Auch Humor ist ein wirkungsvolles Mittel gegen Prüfungsstress, denn auch Lachen gehört zu unseren Ressourcen.

Versuchen Sie einmal, in einem kurzen Text Ihre Prüfung in grellen Farben zu skizzieren. Malen Sie sich ein richtiges Horrorszenario aus: Sie betreten den Prüfungsraum tränenblind und schweißüberströmt. Das Blut steigt Ihnen zu Kopf, Ihr Herz rast. Als Sie die erste Frage hören, verlieren Sie die Besinnung und kippen vom Stuhl. Der Prüfer ringt die Hände und ruft verzweifelt aus: „Aber Frau Schmitz, ich habe doch nur gefragt, wie Sie sich fühlen!"

Wenn Sie über Ihre Befürchtungen lachen können, haben Sie Ihre Prüfungsangst schon ein Stück weit unter Kontrolle.

3.8 Entspannung

Mit Entspannungsübungen können Sie während Ihrer gesamten Prüfungszeit Ihr Stressniveau senken und Ihre Konzentration stärken. Fangen Sie möglichst rechtzeitig damit an, irgendeine Entspannungstechnik zu erlernen: Yoga, Phantasiereisen, progressive Muskelentspannung, Atemmeditation, autogenes Training, Funktionelle Entspannung, Stretching oder irgendeine andere Entspannungsübung, die Ihnen gut tut. Am besten lernt man solche Übungen in einer Gruppe, die sich regelmäßig trifft.

Entspannung rechtzeitig beginnen

Wichtiger als jede Form der erlernten Entspannung ist aber die achtsame Selbstwahrnehmung. Da Stress immer mit irgendeiner Art muskulärer Verspannung einhergeht, geht es vor allem darum, die Signale des Körpers zu beachten. Jürgen Abresch hat in seinem Buch „Zähneknirschen, Zähnepressen, Kiefer- und Kopfschmerzen" die Entstehung und Funktion kontrollillusionärer Verspannungen geschildert. Er zeigt, wie es gelingt, durch Wahrnehmen der eigenen Spannungssignale das schädliche „Kontrollskript" zu verändern. An die Stelle der unbewussten Verspannungen tritt das bewusste freie Aufatmen.

Selbstachtsamkeit

Kontrollskript verändern

4. Stress während der Prüfung bewältigen

Wir haben bis jetzt gemeinsam überlegt, was Sie in der Vorbereitungsphase gegen Stress und Prüfungsangst tun können. Gibt es darüber hinaus Tipps für den Stressabbau in der eigentlichen Prüfungssituation?

In der Klausursituation ist es für Sie zunächst einmal wichtig, trotz Nervosität schnell den Zugang zu Ihrer Aufgabenstellung zu finden. Bringen Sie deshalb nach der Themenwahl sofort all Ihre „mitgebrachten" Gedanken zu Papier – sie können dann nicht mehr verloren gehen. Malen Sie Ihr Mindmap, skizzieren Sie Ihre Arbeitsgliederung, schreiben Sie Ihre vorbereiteten Einleitungssätze auf. Diese Schritte werden Ihr Denken aktivieren und Ihnen Sicherheit geben. Außerdem haben Sie so schon eine Ideensammlung und ein Gerüst, mit dem Sie weiterarbeiten können.

Arbeitsgliederung/Mindmap/Einleitungssätze sofort zu Papier bringen!

Wenn Sie sehr aufgeregt sind, schalten Sie nach jedem Arbeitsschritt (Themenwahl, Frage, Gliederung, Abschnitte bzw. Unterpunkte des Essays) eine ganz kurze Pause von ein oder zwei Minuten ein. Atmen Sie bewusst tief ein und aus, lockern Sie Ihre Muskeln (vor allem auch Kiefer und Zunge!), trinken Sie etwas und arbeiten Sie erst dann konzentriert weiter.

kurze Pause zwischen den Arbeitsschritten

Blocken Sie bewusst alle Gedanken ab, die Ihre Arbeit abwerten. Lassen Sie nur Fragen zu, die Ihnen weiter helfen: *Welche Frage steht hinter dem Thema? Welche Antwort gebe ich auf diese Frage? Wie begründe ich meine Antwort?*

abwertende Gedanken stoppen

In der mündlichen Prüfung kommt es, wie wir schon gesehen haben, entscheidend darauf an, den Kontakt zu den Prüfenden aufrecht zu erhalten und aktiv am Prüfungsgeschehen teilzunehmen. Während Ihrer Vorbereitung gewinnen Sie durch wiederholtes Üben nach und nach immer mehr Sicherheit im Umgang mit Ihrem Wissensstoff. Sie lernen, Ihr Wissen strukturiert zu präsentieren, und lassen sich auch durch

Prüfung aktiv mit gestalten

Üben schafft Sicherheit

Überraschungsfragen nicht aus dem Konzept bringen. Wenn Sie trotz solider Vorbereitung ins Schleudern kommen oder Ihnen plötzlich absolut nichts mehr einfällt, bitten Sie um eine kurze Unterbrechung. Ihre aktuelle Nervosität können Sie am Anfang der Prüfung durch einen guten Start (Kurzvortrag, vorbereitete Einleitungssätze) überbrücken. Während der Prüfung hilft mitunter ein „Schmeichelstein" (ein kleiner abgerundeter Stein) oder ein Stück Knetmasse, um Ihre Erregung abzuleiten. Während Sie den glatten Stein in Ihrer Handfläche hin und her gleiten lassen oder den Widerstand der Knetmasse spüren, lässt Ihre Aufregung nach. Wenn Sie Ihren kleinen Helfer während der Prüfung nicht in der Hand halten wollen, spielen Sie damit, solange Sie noch vor dem Prüfungsraum warten – es wird Sie beruhigen.

Überregung ableiten

Rückblick

Prüfungsstress kann Ihre Leistungsfähigkeit blockieren, er aktiviert aber auch Ihre Energiereserven. Lernen Sie Ihre Prüfungsangst kennen und entwickeln Sie selber kreative Lösungen! Sie können: äußere Stressfaktoren reduzieren, Ihre Bewertungen korrigieren, Ihre Perspektive wechseln, den Gedankenstopp einsetzen, sich durch Autosuggestion umstimmen, Ihre Ressourcen nutzen und Entspannungstechniken praktizieren. Alle diese Strategien helfen Ihnen sowohl während Ihrer Lernzeit als auch in der konkreten Prüfungssituation.

Literaturverzeichnis

Hier finden Sie alle Studien aufgeführt, denen dieses Buch Anregungen und Einsichten verdankt, außerdem ausgewählte Ratgeber zur weiteren Lektüre.

Abresch, Jürgen: Zähneknirschen, Zähnepressen, Kiefer- und Kopfschmerzen. Pohlheim 2003.
Adl-Amini, Bijan: So bestehe ich meine Prüfung. Lerntechniken, Arbeitsorganisation und Prüfungsvorbereitung. 5. Aufl., Weinheim 2001.
Birkenbihl, Vera F.: Stroh im Kopf? Vom Gehirn-Besitzer zum Gehirn-Benutzer. 44. Aufl. Frankfurt/M. 2005.
Bono de, Edward: De Bonos neue Denkschule. Kreativer denken, effektiver arbeiten, mehr erreichen. Frankfurt/M. 2005.
Buzan, Tony: Kopftraining – Anleitung zum kreativen Denken. 19.Aufl. München 1989.
Chevalier, Brigitte: Effektiver Lernen. Frankfurt/M. 2002.
Chevalier, Brigitte: Fit fürs Examen. Frankfurt/M. 2002.
Fiore, Neil: Wenn nicht jetzt, wann dann? So überwinden Sie Ihre „Aufschieberitis". 2.Aufl. Landsberg 1997.
Klaner, Andreas: Stressbewältigung im Studium. Mit 20 praktischen Übungen zum erfolgreichen Stressabbau. Berlin 1998.
Knigge-Illner, Helga: Ohne Angst in die Prüfung. Lernstrategien effizient einsetzen. Praktische Übungen und Tipps. Frankfurt/M. 2002.
Kugemann, Walter F., Bernd Gasch: Lerntechniken für Erwachsene. 19.Aufl., Reinbek 2004.
Merkle, Rolf, Doris Wolf: So überwinden Sie Prüfungsängste. Psychologische Strategien zur optimalen Vorbereitung und Bewältigung von Prüfungen. 7. Aufl. Mannheim 2003.
Mertens, Ralf: Denk- und Lernmethoden. Gehirnjogging für Studierende. Berlin 2001.
Metzig, Werner, Martin Schuster: Lernen zu lernen. Lernstrategien wirkungsvoll einsetzen. 6.Aufl. Berlin 2003.
Novak, Kaja: Lernstrategien anwenden, Methoden entwickeln und Arbeitstechniken nutzen. München 2005.
Rheinberg, Falko: Motivation. 5.Aufl. Stuttgart 2004.
Rose, Colin, Malcolm J. Nicholl: Master Learning. Die optimale Methode für leichtes und effektives Lernen. Landsberg 2002.
Schräder-Naef, Regula: Rationeller Lernen lernen. Ratschläge und Übungen für alle Wissbegierigen. 21.Aufl. Weinheim 2003.
Steiner, Verena: Exploratives Lernen. Der persönliche Weg zum Erfolg. 8.Aufl. Zürich 2004.
Vester, Frederic: Denken, Lernen, Vergessen. 30.Aufl. München 2004.

Abbildungsnachweis

Titelillustration Kapitel 1: Graffiti aus Köln 2005

Titelillustration Kapitel 2: Graffiti aus Kreuzlingen
© Foto: Johannes Esselborn 2002

Titelillustration Kapitel 3: Graffiti aus Düsseldorf
© Foto: Helga Esselborn-Krumbiegel 2006

Titelillustration Kapitel 4: Graffiti aus Münster
© Foto: Elias Esselborn 2005

Titelillustration Kapitel 5: Graffiti aus Köln
Thorsten Kienast, © VdS 2002

Titelillustration Kapitel 6: Graffiti aus München
© Foto: Helga Esselborn-Krumbiegel 2005

Titelillustration Kapitel 7: Graffiti aus Gießen
„Einstein" von 3 Steps.de, Gießen 2005

Titelillustration Kapitel 8: Graffiti aus Neuss
© Foto: Helga Esselborn-Krumbiegel 2005

Titelillustration Kapitel 9: Graffiti aus München
© Foto: Helga Esselborn-Krumbiegel 2005

Titelillustration Kapitel 10: Graffiti aus Paris
© Foto: Helga Esselborn-Krumbiegel 2002

Trotz umfassender Bemühungen ist es uns nicht gelungen, alle Rechteinhaber für verwendete Abbildungen ausfindig zu machen. Bei entsprechender Rückmeldung von Rechteinhabern werden wir die Verwendung lizenzpflichtiger Abbildungen aber im Rahmen der üblichen Honorsätze vergüten.